圖書館事業何去

沈寶環 / 著

臺灣學生書局

自　序

　　最近三年來，我寫了若干篇文字，專業圖書館員的特徵之一是收集和保存文獻，這是我推出這本論文集的原來動機。

　　圖書館事業不斷轉變，最近三年是極為重要的關鍵，在我們的國家裏，國立臺灣大學圖書館學系成立三十週年，中國圖書館學會和臺北市立圖書館成立四十週年，國立中央圖書館也將在最近舉行六十週年館慶。這些專業組合的成就在全世界圖書館事業的大環境中，我國一枝獨秀，這是值得我們歡欣鼓舞的。我更要提出在最近三年中海峽兩岸圖書館界的文化交流，大大的加強了中國人民的聲勢和力量，這部論文集可以看成部份的記錄。

沈寶環

民國 82 年 2 月

圖書館事業何去何從

目 次

1. 圖書館事業何去何從？

重讀(美國)公共圖書館調查後的省思

引　言

　　我讀書有個習慣，喜歡重讀我自己曾經看過的書。

　　在資訊爆破、分秒必爭的時代裡，我的讀書方法可能是不合潮流的，因此我的口風頗緊，在課室裡，和學生閒聊時，我決不推銷我的一套。

　　多年以來，積習難改，我更想出了兩大理由來說明我並非完全沒有立場。

　　首先，我讀書不求甚解，看原文文獻很少使用字典，（例如英漢字典，但並非完全不用字典，必要時我會查原文字典，例如 World Book Dictionary），因此我必需一再前後翻閱，才不至於產生過於嚴重的誤解，為了安慰自己，我認為這也勉強算是「溫故而知新」。

　　其次，舊友重逢、舊夢重溫、舊地重遊和舊書重讀，同有一番「不亦說乎」的樂趣，如何讀書，林衡哲編譯讀書的情趣一書中已有「淋漓盡致」的敍述，我就不必多說了。

臺灣省立台中圖書館即將出版極富學術性的館訊，陳祖榮館長向我徵稿，我不假思索的答應下來，省立台中圖書館是我國最重要的公共圖書館，近年來在先後幾位館長的卓越領導下更是做得有聲有色，令我想到（美國）公共圖書館調查叢書❶我有好多年沒有翻閱了，現在重讀，不僅令我不忍釋手，而且百感交集，更引起了我寫作本文的動機。

一、公共圖書館調查四十年祭

1.（美國）空前盛舉

在近代圖書館史中，公共圖書館一直扮演著舉足輕重的角色，如果說公共圖書館領導了整個圖書館事業起飛，並無誇張之嫌。

有鑒於公共圖書館的重要，美國圖書館協會（A.L.A.）於1946年正式向（美國）社會科學研究院（Social Sciences Research Council）提出龐大的研究計劃，在申請書中A.L.A.要求該院：

> 執行一項完整而澈底的研究，依據社會文化以及人性的因素，深入檢討公共圖書館設置的目的，在這方面，公共圖書館究竟做到了甚麼程度，同時積極評估公共圖書館和（美國）社會的關係，希望對下面兩個問題找出相當正確的答案：
> ● 公共圖書館對社會的實際貢獻為何？
> ● 公共圖書館對社會的可能貢獻在那裡？

對於A.L.A.的要求，（美國）社會科學研究院的反應是正面

的，處置的態度也是積極的。

A.由該院出面從卡內基基金會（Carnegic Corporation）取得大量經費。

B.成立（美國公共圖書館）調查委員會（Committee for the Inquiry）並聘請政治學者伯聿頓大學（Bennington College）校長倪羅伯（Robert D. Leigh）為總召集人。

調查委員七名，包括經濟學者、歷史學者、心理學者、政治學者，以及圖書館學專家兩名——紐約市公共圖書館館長畢爾斯 Ralph A. Berls 和田納西計劃圖書館顧問瑪麗‧羅斯洛克 Mary E. Rothrock 皆為一時之選。

（按：圖書館界人士在成員中為少數，因為要使研究報告更客觀、更具公信力。）

C.成立調查公作執行小組（Staff of the Public Library Inquiry）由二十名專家學者組成（不限圖書館學方面人士）分別負責研究一個主題，（例如：讀者、圖書館員、經費、政府出版品等）其中七名為報告執筆人。

這一研究工作就是舉世聞名的（美國）公共圖書館調查（Public Library Inquiry）以後六份報告、一份總結報告出版成為專書也以公共圖書館調查為叢書書名。

2. 「謀定而後動」

公共圖書館調查的研究工作都是經過再三考慮、精密計劃之後才採取行動。因為篇幅所限，僅就「讀者」和「圖書館員」兩個主題的研究方法略加說明以為例證。

A. 對「讀者」的研究

自1940年代的中期開始，美國公共圖書館好像進入了康莊大道、揚眉吐氣，成就輝煌，根據美國聯邦政府教育部圖書館司（U.S. Office of Education, Library Service Division）的統計❷：

● 美國全國共有公共圖書館七千四百所。

● 美國全國公共圖書館藏書超過一億貳仟伍佰萬册，每年增加新書在七百萬册以上。

● 登記（ Register 指申請借書證)使用圖書館的讀者約貳仟伍佰萬人。

● 美國公共圖書館每年運用經費約陸仟伍佰萬美元。

● 美國公共圖書館僱用職員四萬名，其中一萬五仟名為專業館員。

如此卓越的成就，美國人並不感覺滿足，他們的雄心壯志似乎永遠沒有止境，（美國人可愛得可怕，原因在此），（美國）公共圖書館調查希望了解：

● 誰使用圖書館（Who）？

● 為甚麼他們使用圖書館（Why）？

● 甚麼時候他們使用圖書館（When）？

● 他們如何使用圖書館（How）？

表面上，這一研究是針對貳仟伍佰萬名讀者所作的 User Study.（見 The Library's Public 的書套左上角標題Who are the 25,000,000 Library Users.）骨子裡卻以還沒有利用圖書

館的一億多美國人民爲對象。

為了取得可靠資料，調查委員會不惜工本，禮聘密西根大學調查研究中心（Survey Research Center of The University of Michigan）負責抽樣調查工作，在全美六十個都市鄉鎮中任意抽樣 1,150 名成人個別舉行半小時以上的「面談」（interview）以取得答案，根據資料，芝加哥大學圖書館學研究所所長貝聿聖（Bernard Berelson）寫成公共圖書館的讀者（The Library's Public）一書，亦即（美國）公共圖書館調查的第一份報告。

此書的合作撰稿人，也就是貝聿聖的主要助手，是以後鼎鼎大名的艾昔安教授（Lester Ashein），他們倆人都是調查工作執行小組的成員。

B. 對「圖書館員」的研究

「圖書館員」是（美國）公共圖書館調查的重點之一。

這一研究的主持人是哥倫比亞大學（Columbia University）圖書館學研究所教授艾里絲·布來安（Alice Bryan），她也是報告執筆人在（美國）公共圖書館調查叢書中篇幅最大的一種。

調查對象爲美國公共圖書館員三千名，以「問卷」方式（questionnaire）取得資料，各種統計數字極爲豐富，這一報告在實質上並不限於對於獻身圖書館事業的工作人員有所了解。我覺得布來安的箭頭指向圖書館人事制度，尤其重要的是圖書館學系所成了評鑑的對象，本書的圖書館員的養成教育一章是由公共圖書館調查委員會的總召集人倪羅柏（Robert D. Leigh）親自書寫，顯然的，調查報告企圖在「圖書館員的專業教育是否能使圖書館

在服務時能否勝任愉快」的問題上找到答案，她發現美國公共圖書館專業館員中58％祇有大學畢業程度，完成研究所（指圖書館學）教育的不過40％。

　　布來安的報告頗有影響力，圖書館學碩士學位成爲取得專業館員身份和職位的基本條件，大學因應這種需求，圖書館學研究所陸續成立積極的提高了圖書館專業館員的身份和地位。

3. 影響深遠

　　（美國）公共圖書館調查當然是近代圖書館學最重要的文獻，也是專業館員「必讀」的一套書籍，但是我覺得其貢獻並不限內容，值得注意的是由於這些報告出現引起了圖書館事業圈內和圈外人士的反應和共鳴。

　　前述的艾昔安（Lester Ashein）教授，是一位才氣縱橫的圖書館學學人，他擔任貝聿聖（Bernard Berelson）的副手編寫公共圖書館的讀者（The Library's Public）一書多少有點委屈，好像大才小用，果然他隨即出面單獨主編大家談公共圖書館調查（A Forum on the Public Library Inquiry）收集多篇各行業學者專家（也包括部份圖書館界知名之士）對（美國）公共圖書館調查七種專書（報告六種，加上倪羅伯（Robert D. Leigh）的總結報告）的分析和評論。大家談代表了各方的反應和意見，公共圖書館調查將這部重要的著作列爲叢書姊妹篇（Companion Volume）。

　　另外值得一提的著作是羅斯（Ernestine Rose）所寫的美國人生活中的公共圖書館（The Public Library in American

Life）❸這是這位黑人女教授的成名作，這時她在哥倫比亞大學圖書館學研究所任教，此書指出了美國公共圖書館的得失，從她的文字中我們可以看出這七冊專書型報告對她的思想和觀點都產生了極大的影響和震撼，我極爲欣賞羅斯文筆的坦率，她說：

> 如果一個人不愛書， 她又何必多此一舉去做圖書館館員呢？
>
> 在我們這個針對人類心靈和頭腦服務的行業裡，如果我們能將對人的興趣（Human Interest）和經過專業訓練的智慧結合起來，我們的工作豈不是更有成效嗎？❹

二、初讀（美國）公共圖書館調查的回想

1. 「不堪回首話當年」

（美國）社會科學研究院院長赫林（Pendleton Herring）爲總結報告寫序的日期是1950年4月30日到今天恰好四十年，這個Date 對我頗有特殊意義，因爲正是在那一天開始我在丹佛市公共圖書館（Denver Public Library 簡稱D.P.L.）工作，職位是最低的Clerk I.（略等於我國的雇員），那時我已經得到丹佛大學（University of Denver）的圖書館學碩士學位，在工作申請表上我故意不填學歷，打算矇混過去，我之所以願意如此「賤賣」（比較高雅的形容字樣是「屈就」）有三個原因：

　　a.那時我還沒有獻身圖書館事業的意願

　　b.我還在D.U. 教育研究所博士班上課

　　c.由於語言、文化、教育背景的差異，做專業工作，我擔心自己不能勝任。

　　關於 c 項，我必需略加解釋，四十年前我國留美專攻圖書館學的學生，大有人在，而且成就輝煌，但是所謂專業工作都是與我們語文、文化背景有關的單位，如東方部、亞洲部、中文部等，例如在 D.U. 高我一班的徐亮、張葆箴、陶維劻三位學長都到美國國會圖書館東方部工作，他們都是極為傑出的圖書館員，我畢業時，母校院長郝爾博士（Dr.Harriet Howe 她是韋隸華女士的老師）打算推薦我去雅禮大學（Yale University）去接圖書館中文部主任（Curator）的職位，她還加上一句話「It would be foolish for you to turn it down.」（如果你不去就是笨），我說：「我到美國是求學來的，現在學業未完，還不想做事。」現在回想起來，可能我本來是一塊天生的笨料。

　　在 D.P.L. 工作，我頗為賣力，有時也透過值班的專業館員（Readers Assistant 大多數是剛從圖書館學研究所畢業的女孩子），間接幫助讀者檢索資料，因為我的職位太低，依照規定是不許參與輔導讀者的工作，誰知道洋人之間訊息是通的，不久我的 Performances 和有書本知識（Book Knowledge）的消息終於傳進了主管的耳朵，流通部主任康博爾小姐(Susie Campbell)隨即找我面談，追詢我的教育背景，一切拆穿之後，她當場決定要我參與申請專業館員的空缺，同時申請者有五人（我之外，四位美國女生），申請案件由常設五人人事小組審查，結果我是唯一的幸運者，從此我擺脫了「無韁野馬」的生活，也修正了「玩世不恭」的人生哲學，到了四十年後的今日，我對丹佛市公共圖

書館仍然有無限的懷念和感激，我對 D.P.L.的深厚情感並不是因爲我一再獲得升遷和加薪的獎勵，也不是由於工作表現而列名專業圖書館員傳（Who's Who in Library Service），我是第一個中國人擔任專業圖書館員工作，和美國朋友在同等的地位上競爭。飲水思源，我常說：「在丹佛大學接受教育，丹佛市立公共圖書館部卻教育了我」。爲了工作的需要逼得我不得不每晚讀書到深夜，我所讀的第一套書是康博爾主任（Susie Campbell）指定的就是（美國）公共圖書館調查。

2. 「茅塞頓開」

在丹佛市立公共圖書館的「試用期間」（Probation Period）（三個月）館方同時舉行類似「在職訓練」（In Service trainning）的新人教育（Orientation Program），這種培養生手的做法，本來是我所期待的不足爲奇，但是上級要求我在看館員服務手冊（Staff Manual）之先就讀一套七卷的（美國）公共圖書館調查，當時頗使我莫測高深，現在回想，對於這位短小精幹、碧眼金髮的康博爾小姐（Susie Campbell）佩服得五體投地，初讀（美國）公共圖書館調查使得我對圖書館學的認識和對圖書館事業的觀念產生了重大的衝擊和影響從此

A.我承認圖書館學是一種科學

圖書館界的朋友也許會指責我「講廢話」，但我卻曾經碰到一位美國讀者問我「圖書館學也算科學嗎？」（Is Library Science a Science ?）這個問題我在以前的寫作曾經提過，不再重述，值得考慮的是除了我們這個圈子的人士，其他行業的學者專

家是否都心悅誠服的接受這門科學呢？

B. 我認為圖書館是隨著時代進步的科學，因此我大膽的指出圖書館事業是有生命的有機體，重視適應。

C. 我認為圖書館事業「靜」中求「動」，由「動」而「變」，因此我提出

● 講求行動

● 不斷變動

● 進入自動的主張

D. 公共圖書館的教育功能是不容否認的，而且在不斷加強之中，近代人的生活和圖書館不能分割，因此我不信圖書館會落伍而成為祇是儲藏保存過時資料的「舊書博物館」。

E. 圖書館，尤其是公共圖書館應該定期舉行「 讀 者 研 究 」（User Study）。

F. 缺乏對於「理論」的深入研究，是圖書館學最嚴重的缺失，因而圖書館事業「殃及池魚」遭受若干運行的困擾。

三、重讀(美國)公共圖書館調查後的省思

（美國）公共圖書館調查問世已經四十年了，世局多變，我們當然不能把幾十年前的研究看成圖書館事業的座右銘，實際上，此一調查並沒有忽視時代的演變，前述的（美國）社會科學研究院院長赫林（Pendleton Herring）在總結報告短短不足三頁的序文中就兩度提到「變」❺（Change）字，一次他指出通訊的方法，突飛猛進公共圖書館必需想出因應的作法，另一次是在序文的結

束部份，他認為公共圖書館調查的最大成就在於將問題和應變的改進意見形成了注意力的焦點，為此他特別稱許總報告的最後一章公共圖書館發展的方向（Direction of Development）（美國）公共圖書館調查能夠考慮到將來，不以了解當時的情況為滿足，是其可貴之處，但是半世紀以前的學者專家，無論如何研究，決不會有未卜先知的能耐，今日的圖書館，尤其是公共圖書館正遭受著時代無情的衝擊，這是誰也想像不到的。

1. 時代的一般現象

● 我國成為經濟大國，進入開發國家的行列

同時資本主義社會病態陸續出現，貧富懸殊、功利主義抬頭。

● 固有文化吸收國際文化逐漸發生變化

同時社會組織遭受破壞，家庭制度解體。

● 由於醫藥衛生的進步，形成長春社會的來臨

同時社會逐漸老化，產生第二春的籌劃與適應的問題，新陳代謝管道阻塞和人力資源浪費都應該在考慮之列。

● 工作時間減少，人民生活改善

上班時間減少，休閒時間不僅沒有增加反而大為削減，根據哈利斯調查報告（Louis Harris Survey）自 1973 年以來，美國人休閒時縮減37％，實際工作時間（包括交通擁擠所花時間）則由每週41小時增加至47小時（見時代雜誌1980年 4 月24日週刊）❻

● 民主開放、民權伸張的時代

同時政府公權力、公信力都接受考驗。

2.公共圖書館所直接承受的壓力

● 資訊爆破，出版污染。

大量資訊充斥，使得目錄性控制陷入泥沼。

● 科學技術神速躍進、電子圖書館脫穎而出。

公共圖書館的主力資源——印製資料遭受到生存的威脅。

● 公共圖書館必需和MTV、電影、公園、博物園、超級市場競爭，爭取讀者。

● 由於讀者的需求，資訊的來源和經濟的條件都發生變化，公共圖書館，自給自足的可能不復存在。

3.任重道遠

圖書館事業何去何從？

A.建立書香社會

公共圖書館最嚴重的問題在於缺乏群眾基礎，(美國)公共圖書館調查的總結報告中指出「由於社會人士普遍的對於圖書館服務並不了解，使得圖書館成為不能充份發揮功能祇有少數人問津的機構」❼。四十年來，這種現象究竟有多少改進？羅士汀(Samuel Rothstein)的答案是否定的，依照這位從前擔任過加拿大 British Columbia 大學圖書館研究所所長看來「社會人士認為圖書館不過是一種文化建築(Cultural monument)罷了，他的作用祇是存在(Just existing)而已」❽。我國青年學人廖又生的觀點略有不同，在從帕京生定律看圖書館組織的病態一文中他指稱「機關內部的行政效率日趨低落，但外表的建築用具却日趨豪華

與壯麗」❾。他這種勇於自我檢討，不肯把責任推到讀者身上的態度值得讚許。

我國文化中心建設以圖書館爲主，爲了使文化向下梨根，政府的決策是加強鄉鎮圖書館建設，各文化中心也積極朝這個方向努力，這是一個極爲可喜的現象，祇有這樣的運作才能使圖書館由少數人的知識樂園轉變爲書香社會的搖籃，圖書館推廣工作的步驟如下：

點——文化中心的建立（注重特色）
↑
↓
線——文化中心圖書館彼此「資源共享」，審慎的進入圖書館自動化
↑
↓
面——文化中心圖書館文化下鄉，積極輔導鄉鎮圖書館
B.鞏固職業信心

圖書館事業重「變」，由「變」而「動」，這是圖書館學能夠成爲一種科學，圖書館事業能夠生存的原因，羅斯（Ernestine Rose）對於這一點特別強調，她頗有信心的說：「圖書館能夠適應當前的需要，也能因應未來的轉變」❿。圖書館事業不斷在「變」，堅決反對「一成不變」，但是也不可以矯枉過正，以爲「朝令夕改」就是進步，圖書館事業中部份情況和原則是不能「變」的，伊利諾大學圖書館學研究所退休教授菲力浦（Rose B. Phelps）認爲圖書館事業在「變」的大環境中 至少有三種情勢屹立不搖：

● 讀者求知、尋求資訊的心態
● 圖書館的豐富資源永遠存在
● 圖書館專業人員必需具備的學識和技能 ⓫

這些都是基本條件，沒有「討價還價」，「變動」的餘地，前述的羅士汀（Samuel Rothstein）則將圖書館能否發揮功能的重心放在參考工作，他的意見在精神上和菲力浦（Rose B. Phelps）是一致的，不過表達的方式略有不同，他說圖書館員的任務為：

● 指導讀者使用圖書館

● 輔導者選擇資源

● 幫助讀者從資源中找到他所需要的資訊 ⑫

為此他反對過去圖書館員「得過且過」「點到為止」（Laissez-faire）的作風，他大聲疾呼圖書館員的工作是對付「知識」而不是圖書的「卷冊」（Deal in Knowledge and not Just Volumes ），這位學人頗有些有趣的觀點，他說：「圖書館界人士擔心和電視和其他大眾傳播工具的競爭，其實怎麼會競爭呢？我和倪羅伯（Robert Leigh）的公共圖書館調查的看法一樣，我們圖書館界所強調的「重質服務」是大眾傳播不可能提供、而且追不上的」⑬。

C.加強學術研究

（美國）公共圖書館調查規模之龐大，可謂「空前」，我衷心的期望此類盛舉不致「絕後」，近年來我國圖書館界人士對於研究調查工作急起直追，例如：

● 何光國　我國十六所大學大學圖書館規模大小及服務條件之分析（中國圖書館學會會報 36 期）

● 李德竹　我國圖書館自動化資訊系統之探討（中國圖書館學會會報第43期）

● 范豪英 七十七年度醫學圖書館現況調查（中國圖書館學會會報43期）

圖書館學遭受詬病的理由是圖書館學好像是祇注重實際操作而忽略理論的科學，伯特勒（Pierce Butler）甚至指控「若干圖書館員討厭和不信任理論」（Dislike and Distrust theory）⑭。值得慶幸的是我國學人的著作都能兼顧理論與事實，例如：

- 王振鵠著 圖書館學論叢
- 張鼎鍾著 圖書館學與資訊科學之探討
- 黃世雄著 現代圖書館系統綜論
- 盧荷生著 中國圖書館事業史
- 顧 敏著 現代圖書館學探討
- 范豪英著 醫學圖書館學
- 莊芳榮著 專門圖書館管理理論與實際
- 鄭雪玫著 兒童圖書館理論與實務
- 林孟眞著 我國資訊系統之建立與探討
- 盧秀菊著 圖書館規劃之研究
- 高錦雪著 圖書館哲學之研究

等都是極有份量的著作（不及枚舉）。

關於圖書館員的教育及繼續教育問題，我國圖書館界人士的貢獻更為輝煌，台北市立圖書館館刊曾刊出專號，其中有價值的著作可謂琳琅滿目，茲為篇幅所限僅列舉目次表中前幾篇為例：

- 藍乾章著 圖書編目課程為專業教育的核心
- 何光國著 「做到老，學到老」也談圖書館員的繼續教育
- 黃世雄著 圖書館員的繼續教育

●林美和著　從角色轉變論學校圖書館員的教育

●陳　豫著　全國圖書館人員繼續教育之規劃與展望

尤其可貴的是

●胡述兆　主編的圖書館學與資訊科學教育國際論文集，收集國際知名學者論文十六篇，其中八名專家是圖書館學研究所所長，爲近代圖書館學最受注目的文獻。

由上所述，由於我國學者專家的努力，在圖書館學文獻方面的成就和西方開發國家相比，並不遜色。希望在不久的將來，我國能編製一本中文標題總目，同時修正分類標準，以逐漸達到圖書館資源目錄性控制的目的。

D.擴大學科領域

傳統的圖書館學以目錄學爲基礎，在我國早期圖書館史中，藏書家、目錄學家和圖書館學專家是三位一體的，近代圖書館學強調參考輔導圖書館學的內涵，由此轉變爲以採購與整理資料爲主的技術服務和以檢索與運用資料爲主的讀者服務兩大支柱，資訊時代的來臨，學科組織一方面不斷細胞分裂，另一方面則又出現科學整合，讀者的需求與過去大異其趣，影響所及，公共圖書館不得不因應需求而成立專科部門，專門圖書館亦如雨後春筍不斷出現，以圖書館學爲背景的圖書館專業館員已不能應付如此複雜的局面，圖書館學也有獨木難支大廈的感受。爲此西方國家圖書館學研究所紛紛與資訊科學通訊學合流，我認爲圖書館學、資訊科學和通訊學的結合好像三國時期的劉、關、張桃園結義，聲勢不小，力量仍然略嫌單薄一點，似乎應該以這三種科學爲核心加上以社會學、心理學、教育學、管理科學和統計學爲外圍才能

使圖書館專業館員裝備齊全，面對錯綜複雜工作環境的挑戰，理想的圖書館學學科範圍示意圖如下：

（著者按：個人管見認爲圖書館學研究所最好能分爲三組：

● 圖書館學組

● 資訊科學組

● 通訊學組

三組均有共同必修及組必修課程，此外在教育學、心理學、社會學、管理科學、統計學五種科各選課四個學分，以取得最基本的知識，是否「痴人說夢」尚祈學者專家指敎）

圖書館的事是做不完的，有關圖書館的話也是說不完的，上述四點祇是個人的意見，而且也祇是個人意見的一部份，以後有機會再行補充。

尾　聲

（美國）公共圖書館調查是我正式參與圖書館專業行列所讀

的第一套書,至今已整整四十年了,這套書(無巧不成書)也是我退休前重讀的一套,令我感慨萬千,在 我著筆時,心中經常有個奇怪的念頭,我希望我重讀的不是我自己保存的藏書,而是放在丹佛市立公共圖書館書架上的那一套,現在看這套書的不會太多,也許書上會略微沾上少許灰塵,對我而言卻有頗不平凡的意義,我想如果我重讀的是那一套,我這篇文字可能寫得好一點。

附　註

❶　（美國）公共圖書館調查public Library lnquiry 叢書
   ● 美國的公共圖書館即總結報告
   The Public Library in the United States by Robert D.
   Leigh.
   ● 公共圖書館的讀者
   The Library's Public by Bernard Berelson.
   ● 公共圖書館館員
   The Public Librarian by Alice I Bryan.
   ● 政治過程中的公共圖書館
   The Public Library in the Political Process by
   Oliver Garceau.
   ● 政府出版品
   Government Publications for the Citizen by James
   Lmcamy.
   ● 出版事業
   The Book Industry by william Miller.
   ● 資訊性電影
   The informntion Film by Glori Waldron.

❷　U.S. Office to Education, Library Service Division
   Public Library Statistics 1944–1945 Bulletin No.
   12, 1947.

❸　Rose, Ernestine, The Public Libraru in American Life
   New York. Columbia University Press 1954,p. 202.

❹　Ibid., p. 204.

❺　Leigh, Robert D. The Public Library in the United
   States. New York: Columbia University Press 1950,

p. ix.

❻ Time Amcrica runs out to Time April 24, 1989, pp. 44-46.

❼ Leigh, OP, Lit p. 96.

❽ Rothstein, Samuel. Reference Service: The New Dimension in Librarianship in Reference Servicesby Arthur Ray Rowland Hamden, Connecticut: The shoe String Press, Inc. 1964, p. 38.

❾ 廖又生 圖書館組織與管理析論 臺北天一圖書公司 民國78年 p. 23。

❿ Rose, UP, cit Preface.

⓫ Phelps, Rose B Reference Services in Public Libraries, The Last Quarter Century In Reference Services by Arthur Ray Rowland. p. 16.

⓬ Rosthstein op, cit, pp. 37-38.

⓭ Ibid., pp. 41-42.

⓮ Butler, Pierce Survey of the Reference Field in Reference Services by Arthur Ray Rowland, p. 49.

2. 圖書館事業的未來走向

二十世紀的圖書館事業在過去
四十年間出現了顯著而重大的變化❶
Susan C. Curzon

一、引述的說明

如何應變（Managing Change 1989）是最近兩三年來最具創意、最能符合當前需求的著作之一，著者蘇珊寇松博士（Susan C. Curzon）因而成名。

我之所以借用她的話作爲引言有下列三個原因：

1.凱茲（Bill Katz）在本書的序文中指出「寇松堅決的反對圖書館事業一成不變」（Simply refused to stand still）❷，這種觀點是絕對正確的。我過去在寫作中也曾一再指出「靜止狀態是現代化圖書館事業的死敵」❸。

2.寇松認爲「我們應該把『變』看成一個邏輯的潮流」（Logical stream）❹，這句話深獲我心，看過我的書的讀者可能記得我在資源共享一文中說「圖書館學是一個不斷變動的科學，圖書館事業講求行動，自然而然的跟着變動，然而這種變動應該是自然的，溫和的更是合乎論理學法則的。」❺

3.寇松的話中包含有「過去四十年間……」字樣，我們都知

道

道最近四十年來風起雲湧，圖書館事業受到無情衝擊，但是明確的指出四十年我還是第一次在國外文獻中看到，今年是我們中國圖書館學會四十華誕，在多事之秋的四十年中我們的學會脫穎而出、成長、茁壯，這是我國圖書館史中的一件大事“四十而不惑”我寫作本文慶賀，採用寇松的話作爲引言當然是合適的。

二、圖書館事業關心未來

1. 圖書館學是着眼未來的科學

雷瑪（James D. Ramer）說：「“未來”已經代替“過去”，成爲我們注意力的焦點。」雷瑪是美國阿拉巴馬圖書館學研究所的所長，他認爲「“現在”則在逐漸沒落」❻。

藍里爾（Dan Lanier）則以教育家的口氣提出他的意見，他說：「我們在培養未來的圖書館事業人員時要提供那些經驗，讓他們能夠因應二十一世紀的需求。」❼ 而二十一世紀離開我們不過八年之久。

托佛勒（Alvin Toffler）寫的三本書都與未來有關，未來的衝擊檢討了「變」的過程，如何影響人與組織，第三波分析「變」的方向和將來結局，大未來則思考如何控制即將到來的「變」❽托佛勒是思想家，雖然圖書館學不是他的本行，但是資訊是他寫作的重點和精神之所在，資訊和圖書館學的關係是不可分割的，我把他的著作看成圖書館學的相關文獻。

2. 「黃河之水天上來……」

在近年以來所發表的圖書館學文獻之中，如何因應未來的變局已經形成了熱門的議題，信手拈來，例如墨爾和威廉斯（Lawrence E. Murr and James B. Williams）兩人寫作的未來圖書館的角色（The Roles of the Future Library）❾蘇伯南（Tom Surprenant）所寫的電子環境中的未來圖書館（Future Libraries : The Electronic Environment）❿。這類論文比比皆是不及列舉。專書著作也受到感染，蒲爾（Herbert Poole）所主編的論文集本來是紀念一代哲人，圖書館學大牌學者歐奈（ Jerone Orne）的專書，也定名為公元2000年時的學術圖書館（Academic Libraries by the year 2000）。傑路歐奈紀念論文集（Essays Honoring Jerrold Orne）反而成了副書名⓫。甚至1991年白宮圖書館與資訊會議（1991 White House Conference on Library and information Services)的總結報告也以資訊2000：二十一世紀的圖書館與資訊服務⓬（Information 2000, Library and Information Services for the 21st Century）為書名，自無怪赫列（Edward Holley）指稱「近十年來討論未來的文字好像洪水一樣出現在圖書館學文獻之中」⓭他只是陳述一個事實，他用「洪水」字樣，我說「黃河之水」都沒有絲毫褒貶的意思。

3. 研究未來——知難行亦不易

研究未來會遭遇很多困擾：

A.「未來」無所不包

施空德（G. O. Segond）說：僅就未來的工作一項而論，就會產生下列變動❶：

- 工作內容的轉變
- 增加新的工作和負荷
- 工作需要的資格和以往不同
- 工作場所和環境的變動

B.「未來」可長可短

以時間的因素而論，未來可以劃分為五個階段：

- 即將來到的「未來」（immediate Future）

  很快，今晚，下週……

- 近程的未來（near Future）

  明年，未來三五年……

- 中程的未來（middle-range Future）

  五年，二十年……

- 長程的未來（Long-range future）

  二十年至五十年……

- 遠程的未來（Far future）❶

  五十年後

上述孔力希（Edward Cornish）的 "未來" 分段，為世界未來研究學會（World Future Soceity）的主張和我們常用的近程、中程、遠程等計劃，在精神上並沒有太大的差異。

　　若干美國學人則比較傾向以比較精確的時間分段以研究「未來」。1983年美國圖書館學會會長謝爾登（Brooke E. Sheldon）在任期內訪問我國時，曾應中國圖書館學會邀請作專題演講，她的講題是圖書館與未來（The Library and the Future），她說「我所講的不是長程的預測，而是正在進行中的趨勢，這種走向我認爲在未來五年之中越來越明朗化，或許我應該將今天的講題修正爲圖書館和不久的將來（The Library and the Very Near Future）」⓰。她所謂的趨勢有三大項：

- 終身和繼續的圖書館學敎育
- 圖書館對外在資源不斷加強的依賴性
- 資訊時代圖書館員所扮演的新角色

這是差不多十年之前所發生的事（1983年12月18日），那時候美國圖書館界注意的焦點和現在完全不同，這點以後再行說明。

C.「未來」不可捉摸

　　艾昔安（Lester Asheim）指稱「在未來的歲月裏，「變」與「挑戰」（challenge）會比現在發生得更快，更突然決策必然在不定的局勢下定奪，因爲沒有所需要的完整資料，有時資料和對資料的解釋是錯誤的，更缺乏前例（precedents）作爲參考的指南 」⓱。

　　前述的赫列（Holley）也有相同的看法，他說「我們製作計劃所需用的知識和爲計劃目的所提出來的假定經常是錯誤的」⓲。

　　艾昔安（Asheim）和赫列（Holley）所指出來研究未來的困擾祗是北冰洋海底冰山暴露在外的一小部份尖端而已，休曼（Bruce

A．Shuman）在未來的圖書館（The Library of the Future）一書中指出，「『未來』不會等你，當你在爲它作畫像的時候。」「所有出版品都有與時間脫節的問題，當著述問世的時候，觀點已經行不通了，預言會落伍，以爲會出現的事實也可能落空」❿。本來，著作問世之日也就是開始報廢之時，無怪寇松（Curzon）肯定的說「改變」是困難複雜和模糊的」「變」就是對「未來」的研究。寇松（Curzon）的思想可貴之處是她一直保持客觀而公正的立場，一方面她指出「變」的利弊，另一方面她強調「人」的因素，她說「變」帶來的經驗和成長是絕對有益的，但是人們的行爲方式受到習慣的影響，因此當行爲受到「變」的衝擊時，他們會不知不覺的抗拒，對於如何適應變局，因人而不同，更「因事而異」，人是很奇怪的動物。「對於『變』的反應常常是無法預測的，當他們安定的時候，他們渴望『轉變』，當他們覺得變動太多的時候，他們又要求安定。」還有的人根本逃避討論未來，這些人搬出來愛因斯坦（Albert Einstein）的話作爲擋箭牌，愛因斯坦說「我從來不想未來，它來得太快了！」休曼（Shuman）是竭力鼓吹研究未來的人物，他自我解嘲的說「任何企圖預測未來的人如果不是衝動、勇敢的人就是近視和愚笨的人」❷ 。

三、美國圖書館事業的未來

美國是圖書館事業最發達最前進的國家，這句話你知、我知、圖書館界人人皆知。過去幾十年我一直有這個想法，我曾經說過我放棄居留權，不願意歸化美國，毫無遺憾，唯一讓我留連忘返

依依不捨的是美國的圖書館，我這樣坦白露骨的講話，並不怕遭受物議，說我 "長他人志氣，滅自己威風" ，因爲讚美美國圖書館事業的大有人在，不信的朋友不妨閱讀彭歌所寫的愛書的人和知識的水庫這是兩部極有水準的著作，我曾經推薦給圖書館學系所的學生作爲必讀的文獻。

近十年來我的信念略有動搖，這也是受了美國朋友自己暴露弱點的影響，魏斯曼（Paul Wassermon）在新圖書館事業：對於「變」的挑戰（The New Librarianship-A Challenge for Change）一書中說：「有秩序而爲大家接受的社會安排，在過去認爲是合乎邏輯的，現在却產生了疑慮。」「在圖書館中卡片目錄受到學生的破壞，因爲他們把它看成官僚體系（bureaucracy）的象徵」❷。羅賓遜（Charles Robinson）是以多少有些悲觀的心情寫作公共圖書館還有救嗎（Can we save the public Library）一文的。他說「世界上大部份地區沒有公共圖書館，照樣過的很好，在美國大多數人民在生活素質排行榜中雖然把圖書館排在交響樂團和藝術博物館之前，但却遠遠掉在地方戲院和保齡球館的後面」❷。若干學人則紛紛提出解除危機的方案，休曼（Bruce A. Shuman）的公共圖書館：幾種可資選擇的未來（The Public Library：some Alternative Futures）就是一個例子，我爲篇幅所限，不能完全報導他的意見，公共圖書館多年以來受到「爲所有的讀者作所有的服務」思想的約束，這種崇高的理想永遠不能實現，而爲有識之士詬病，他說爲甚麼不試一試「爲少數人做每一樣事」（The everything to some scenario）和「爲多數人做一點事」（The something for all scenario)呢?這總比「維

持現狀，一成不變」（The status-Quo syndrone）的好。

1991白宮會議（見前述）則提出加強閱讀能力（Literacy）、生產（productivity）和民主（Democracy）爲該年總報告的三大問題，這份報告中說在聯合國 158 個會員國中，人民閱讀能力美國排行第49名，兩千三百萬美國成人只有不到小學四年級的閱讀能力，三千五百萬成人只有初中二年級的閱讀程度❷。

如果我把美國同行對於圖書館事業的未來走向，儘量採用這篇文字將無法結束。美國圖書館學會是美國圖書館事業的領導中心。A.L.A.的觀點比較有代表性，而且會將爭論減低到比較低的程度。

A.L.A. 出版的今日的圖書館與資訊服務（ Libraries and Information Services Today ）的前身是美國圖書館學會年鑑（1976-1983）、美國圖書館學會圖書館和資訊服務年鑑（1984-1990）。本書的內容除了報導1991年美國圖書館界談論（talked about ）就心（worried about ）和感覺到興奮（Excited about ）的事件外還討論到趨勢（trends ）也就是未來走向，這部書指出美國圖書館事業所面臨的問題有下列三項：

㈠ 公共法案 101-512 號（Public Law 101-512）問題

1. 問題的背景

美國圖書館界的傳統是尊重人民言論、出版和取得資訊的自由，其所仰賴的是：

● 美國憲法第一補充條款（First Amendment），其中明文規定「國會不得立法限制言論和出版的自由」❷，但是兩世紀來，這句簡短的文字却在美國社會與法院中引起了不斷的辯論。

● 爲了保障讀者自由選擇讀物的權利，美國圖書館學會於1939年製訂圖書館權利法案（Library Bill of Rights）並於1948，1961，1967 以及 1980 年多次修訂❷。

2. 問題的發生

1989年春季美國國會發現兩項展覽有嚴重有傷風化之嫌，其中之一爲Robert Mapplethorpe的同性戀圖片，另一件爲Andres Serrano 的作品，這位所謂藝術家竟然將自己的小便淋在耶穌肖像的頭上，並攝影紐約州共和黨籍參議員狄馬托（Senator AL D'Amato）將這些不雅的照片出示國會，引起參衆兩院大譁，由於這些藝術品曾經接受美國國家藝術基金會（National Endowment for the Arts簡稱NEA）經費補助，而NEA 經費又來自政府，美國 101 屆國會經兩院議決嚴格管制該基金會的對藝術界的補助，這項法案於1990年10月27日通過，布希總統於11月5日簽字成爲法律，也就是公共法案 101-512 號，此一法案連帶受累者爲美國國家人文基金會（National Endowment for the Humanities 簡稱NEH）以及博物院管理局（Institute for Museum Services 簡稱IMS ）眞可謂是城門失火殃及池魚了❷。

3. 美國圖書館學會的强烈反彈

美國圖書館學會對於公共法案 101-512 號强烈不滿是可以預

期的，一方面爲了維護言論出版閱讀的自由傳統，另一方面圖書館本身經常舉行展覽，嚴格限制之風不可長。紐約市立圖書館董事會主席希列（Timothy S. Healy）在國會聽證會作證時說「我們的辯論主題就是檢查制度（censorship），任何掩飾的動作都是誤導（misleading）」。美國圖書館學會並於1989年6月作成決議要求國會不得以政治的因素和教條式的理由否決藝術計劃，同時鼓勵NEA抗拒立法機關干涉補助辦法，今日的圖書館與資訊服務指明北卡州共和黨參議員赫姆斯（Senator Jesse Helms）以及教會右派領袖皮德孫（Pat Robertson）爲鬥爭的對象，這種爭執是非尚在未定之天，但是美國圖書館學會捲入這場政治風波，對未來運作當然有影響❷❼。

㈡　公共圖書館是否適宜扮演社會救濟的角色？

1.　「無家可歸」數字驚人

據雷斯（J.Ingrid Lesley）報導，美國無家可歸（Homeless）流浪者的人數在過去十年來急遽的上昇，估計在三十五萬至三百萬人之間❷❽。這還是保守的估計，「無家可歸流浪者」和我們所謂的「無殼蝸牛」完全是兩回事。「無殼蝸牛」是沒有自己的住屋的一群（House-less），他們中間有人因爲沒有足夠的金錢置產，因此必需寄人籬下，有人則是根本不擅理財，得過且過，最後落得祇有「看房東的意思」的下場，這是自找麻煩不能怪誰（例如我自己），「無家可歸流浪者」根本沒有嘗試"甜蜜家庭"

（Home, sweet home）滋味的機會，我不用「流浪漢」字樣，也不提「流浪街頭」因為這一族有男有女，甚至包括小孩，而他們活動（比較合適的文字是生活）的範圍慢慢的離開公園、車站、街頭、地下道而湧入圖書館，雷斯妮（Lesley）的報導因而採用在公共圖書館中的無家可歸流浪者（The Homeless in the Public Library）為篇名，這是美國圖書館事業今後必需面對的重大問題之一。

2. 「無家可歸流浪者」的特徵

「無家可歸流浪者」和正常的人無論外表和內涵上都有顯著的不同，桑福德（Lynda Sanford）是主持芝加哥公共圖書館在公共圖書館中無家可歸族研究計劃的主持人，根據她調查問卷所得[29]，我略加整理，大體上無家可歸流浪者的特徵如下：

- ●外表、儀容方面

  不修邊幅，披頭散髮

  不勤梳洗，有體臭

  不換衣服，或無衣可換，衣服破舊污穢，有氣味

- ●行為、個性方面

  吸毒，酗酒

  語言粗暴，無禮

  對他人有強烈敵意

  遊手好閒，無所事事

  經常睡眠

  乞求施與，希望不勞而獲

　　偷眼看人

● 對圖書館的影響方面

　　佔用桌椅

　　破壞傢俱設備

　　在館內任意飲食

　　不好好利用衛生設備

　　身上氣味，及可能附帶的跳蚤，使其他讀者不安而對圖書

　　館却步

　　我們所熟知的「無殼蝸牛」是經濟問題，美國的「無家可歸流浪者」則是一個嚴重的社會問題，圖書館全天候開放，因而成了「無家可歸族」的避難所，吳德倫（Pat Woodrum）在 1990 美國圖書館學年會中報告，「40％在圖書館裏逗留的人都不是利用參考資料，借閱圖書來的，而是把圖書館當成難民收容所」❸。

3. 圖書館的因應

　　「無家可歸族」在公共圖書館中出現讓美國圖書館事業遭遇空前的困擾。如何應變，圖書館界產生兩種各走極端的立場。

　　席門斯（Randall C. Simmons）說「在1980年代初期大家的意思是如何把這些無家可歸的流浪者請出圖書館，假使我們今天驅除他們，那麼下一次我們又會趕走那一族呢？」❸ 林根（Alan J. Lincoln）顯然是贊同席門斯（Simmons）的意見的，他說「這一族逗留（hanging around）在圖書館裏不走，我們爲甚麼不趁這個機會提供他們的（資訊）需求呢？」懷特（Herbert White）持相反的觀點，他說「我們走的是自殺的路，讓公共圖書館變成

了停車場，這樣做會冒犯了那些把圖書館當做圖書館用的讀者，這些浪人把圖書館變成睡眠的地方，使得真正的讀者感覺到不可能接受，圖書館也變成不愉快的地方。」陶孚（Duff）甚至強調圖書館界應該訂定一個「讀者閱讀權利宣言」（Customer Bill of Rights）以保護真正的讀者，席門斯（Simmons）則提出圖書館有雙重責任的主張：「維護圖書館環境，讓讀者有一個安全、愉快、不受打擾的環境，同時圖書館要擔負起來民主的社會機構的責任」⑱，公共圖書館做得到嗎？

㈢ 圖書館教育的前途亮起了紅燈

1. 崎嶇的未來

「圖書館教育學者和圖書館專業人員必需通力合作以建設未來的圖書館學校」，柏德（Richard W. Budd）接著說「現在的一些圖書館學系所的身心健康好像呈現出長期病態，我的診斷說明是：缺乏堅強的特性，沒有信心、遲疑不決和低檔表現就是症狀」⑲，柏德（Budd）是羅吉斯（Rutgers）大學圖書館學研究院院長，他在圖書館學報（Library Journal）所發表的專文決非無的放矢。

2. 圖書館學系所大量停辦帶來的衝擊

柏德（Budd）認定圖書館學系所得了長期疾病還算有了幾分保留，事實上大量系所已經沉痾不起，自從1978俄里剛（Oregon

University）大學圖書館學研究所爲始作俑者，停辦以來至1990
年關閉的圖書館學系所達十四所之多，柏德（Budd）說停辦的系
所不斷出現，將來還會增加」❸。圖書館界人士對於這種挫折感
感到憂心忡忡，美國圖書館學會將圖書館學系所紛紛結束的現象
列爲重大問題之一，不是突如其來的，阿拉巴馬大學（Univer-
sity of Alabama）圖書資訊研究所教授巴列士（Marion Paris）
所寫的專文圖書館學系所停辦所造成的困境（The Dilemma of
Library School Closing）也成了美國圖書館學會1991年總報告
的第三項重大課題。

3. 原因的檢討——美國圖書館學系所爲甚麼會停辦？

(1) 「經濟」是代罪的羔羊

圖書館學系所的關門，好像骨牌反應，一個接一個的倒了下
去，大學行政部門歸咎於經濟不景氣，以生意人的眼光來辦教育
是我們中國人無法理解、不能接受的事，巴列士（Paris）也顯然
不以爲然，她說「這種藉口將問題過份簡化。」（oversimplifi-
cation）」當她直接詢問大學行政當局時，這些有權有勢的人士
也坦白承認看緊荷包的經濟緊縮政策，並不是拿圖書館系所開刀
的唯一原因。

(2) 原因的推測

圖書館學系所受到排擠的因素並不單純，至少可以歸納如下：
● 大學行政當局對圖書館教育的功能和重要性並不完全了解，

因而圖書館系所從校方得不到應有的支持。

● 大學相關系所的猜忌,這種情況是圖書館進入自動化階段,新科技的出現使得圖書館學和資訊科學合而為一,以後才發生的,圖書館學系所課程的革新對於數學、電腦、工商通訊等教學單位帶來威脅㉟,這點我將在討論我國圖書館學教育時進一步說明。

● 性別問題的作祟

圖書館事業是陰盛陽衰的行業,美國公共圖書館調查(Public Library lnquiry)就列舉統計指出在 47 所圖書館抽樣中92%的圖書館館員是女性㊱。巴列士(Paris)指控「性別歧視(Institutional Sexism)」是導致圖書館學系所遭受到停辦處分的原因之一。

● 校友會影響力不足

巴列士(Paris)舉出護理、社會工作等系所也難免遭受淘汰的命運,因為這些教學單位也是女多於男的系所以加強她「歧視女性」㊲控訴的說服力,在女權抬頭的美國,她的觀點是否能夠得到社會多數人士的認同,我們不便置詞,但是圖書館這個行業是弱勢團體確是不爭的事實,圖書館真是薪水階級,在校友會中發言的聲音不及律師、醫生、工商界巨頭響亮,這些人是對母校慷慨捐輸的來源,大學行政部門對他們通常另眼相看,也不敢輕易的碰他們的母系母所,相形之下,圖書館學系所畢業校友的影響力有限,講話也很少有人聽得進去,人是很現實的,圖書館從業人員沒有走上街頭自力救濟的本錢。

●圖書館學系所需要自我檢討

如果把圖書館系所的不景氣完全歸罪的外在的因素，將帳記在別人頭上也不盡公平。圖書館學系所也應該自省，柏德（Budd）認為很多困擾是自己造出來的(Self-imposed)。他說「在傳統上，圖書館學系所觀念是狹窄的，只是講得好聽，而忽略了提出研究的成果。」換句話說，祇注意教學而不關心研究，「如果我們教學生『如何想』(How to think）來取代『如何做』(How to do)，一個新而且較好的圖書館學教育體系就會出現」❸。艾昔安（Asheim）說學生如果想要成為專業的一份子必需學習用頭腦而不是僅僅去學如何用手。」「他們應該自己建立一套圖書館哲學而僅僅得到運用近代技術的能力是不夠的」❸。這些意見都是舊話重題，例如史萬生（Don R. Swanson）在多年以前就指出：「只有真正了解原理有了一定觀念的人才能因應一個實在的情勢 」❸。

四、我國的圖書館事業

「風水輪流轉，三十年河東，三十年河西」這句俗諺是當前和未來世界局勢的絕妙寫照，中國人民「受洋氣」的時代已經成了歷史上的陳蹟，即將到來的二十一世紀將是黃帝子孫，龍的傳人主導的天下，這句話不是我信口開河隨意亂蓋的，不信的人不妨仔細回味前英國首相柴契爾夫人（Mrs. Margaret Thather ）在臺北國家劇院公開演講的講詞。

事實俱在，大家都知道，自毋庸我詳細敍述，例如：

● 在財政方面

海峽兩岸共同外滙存底已達1400億美元。

（其中臺灣約900億美元，大陸已接近500億美元）

● 在建設方面

六年國建計劃積極進行。

● 在體育方面

中華臺北勇奪巴塞隆納世運棒球銀牌。

大陸健兒所向披靡。

● 在藝術方面

「秋菊的官司」打贏了，榮獲威尼斯影展金獅獎。

● 在科技方面

我方參加超導超能對撞機計劃（SSC）逐漸成形。

以上所舉例證祇是81年 9 月27日一天報載，我隨手拈來（中國時報）這類振奮人心的訊息，幾乎每天都有或多或少的報導。

就我們的本行，圖書館事業而論，雖然我不敢說已經迎頭趕上開發國家，但是已經做到急起直追的佳境。我看了美國圖書館學會1991年總報告也就是（美國)今日的圖書館與資訊服務以後，心中一直在想我們的圖書館事業有沒有同樣的問題？

我想將美國圖書館事業的迷惘和我們圖書館事業的遠景作一簡略的比較，並沒有絲毫幸災樂禍的惡意，自從韋棣華女士(Mary Elizabeth Wood） 創建我國第一所公共圖書館（文華公書林），協助先嚴　祖榮先生開辦第一所圖書館學高等學府（文華圖書館學專科學校）以來，一部中國近代圖書館史就是中美兩國的文化

合作史。美國圖書館界的舉止對於我國的圖書館事業的運作有深遠的影響，我希望將來能夠擺脫這種陰影而建立一種眞正能互惠合作的關係。

1991美國圖書館學會今日的圖書館與資訊服務所提出來的三大中心議題，在我們這裏却不是問題。

1. 圖書館學

爲因應圖書館業務的實際需要，統籌規劃各類型圖書館之整體發展，教育部成立圖書館事業委員會（78 年），該會委託中國圖書館學會組成專案小組修訂圖書館法草案，此項草案內容分爲：

總則

設立與標準

組織、人員與經費

營運與輔導

附則

等共五章三十五條。

圖書館草案審查小組成員爲：

協同召集人：沈寶環、王振鵠、楊國賜

委　員：林政弘、楊日然、張鼎鍾、劉立民、楊崇森、
　　　　胡述兆、李德竹、林美和、黃世雄、盧荷生、
　　　　顧　敏、鄭吉男、孫德彪、陳祖榮、賴文權、

秘　書：彭　慰

中國圖書館學會更邀請鄭吉男、顧敏、席又生、汪彥秋、彭慰成立研究小組供應資源。

　　經過多次討論，此項草案於81年2月14日經教育部圖書館事業委員會修正通過，目前正由教育部依規定程序辦理中。

2. 讀　者

　　如前所述在我們的國土裏祇有「無殼蝸牛」而沒有「無家可歸」的人民，而且國民對圖書館的觀感是健康而正確的。依行政院主計處79年臺灣地區國民活動調查報告結果指出：國民對現有各項文化場所設施滿意情形「圖書館」佔第二位；又國民對政府推動文化建設之期望「拓增公共圖書館」也佔第二位，足見國民對圖書館的功能給予肯定❿，關於讀者利用圖書館的情況可參閱我寫的前途似錦一文，這篇文字雖然只限於臺北市立圖書館的數字，但舉一反三，我們可以看出臺灣圖書館事業讀者服務的進步情況。

3. 圖書館教育

　　和美國情況剛好相反，我們的圖書館學系所好像臺北公車處的宣傳廣告「天天有進步」，除現有的四系（臺大、師大、淡江、輔仁）三所（臺大、師大、淡江）外，有四所大學計劃成立研究所（中正、輔仁、中興、政大）。

　　我手頭中已有國立中正大學83年度申請增設系計劃書草案，以及輔仁大學圖書資訊學研究所設立計劃書兩件重要的文獻，我重視這兩篇計劃書倒不僅僅是由於內容中肯文字優美而是別有原因，關於圖書館和母體學校的關係，我始終有兩點信念。

　　●一所好的學校一定有一所好的圖書館

> 換句話說
>
> 一所差勁的學校，圖書館不可能好
>
> 圖書館不夠水準，學校不會好到那裏去
>
> ● 一個重視圖書館的校長才能辦好圖書館
>
> 換句話說
>
> 唯有重視圖書館的校長才是好校長

國立中正大學召開圖書館學研究所諮詢會議（81年5月2日）是由林清江校長出名函邀，並且親自主持，我有幸參與不覺感慨萬分，爲甚麼大學校長不多出幾個類似林清江博士的人物呢？最近教育部評鑑中正名列前茅，決非倖致，強將手下無弱兵，有甚麼樣的長官就會有甚麼樣的部屬，楊美華館長是極爲優秀出色的青年才俊，她在中正一定可以大展身手。

同時我也要對輔仁大學圖書館學系主任高錦雪教授表示敬意，她擔任系主管不過半年，就有毅力和決心在輔仁開辦研究所，這是何等的眼光和抱負。一所私立大學想辦貼錢買辦的研究所是不簡單的，尤其可貴的她已經在教育部爭取到圖書館學系正名爲圖書資訊學系，我不知道我們臺大教務會議中反對圖書館學系所改名爲圖書資訊學研究的衮衮諸公還有甚麼話說。

五、結束的幾句話

圖書館的工作是做不完的，和圖書館事業有關的話也是說不完的，我們中國圖書館學會今年四十華誕，個人興奮之餘，寫的文字也就冗長了一點，好像還沒有接觸到學會成就的核心，不過

這點我並不在意，深信這一個行業人才濟濟，相信在這期會報中將有很多篇洋洋大觀的論文出現，剛剛收到大陸寄來的圖書館論壇 1992 年第三期，這本很有價值的學報是廣東省中山圖書館等四個單位主辦的，顧問是黃俊貴館長編輯黃安國先生寄了一冊給我，其中一欄定名為臺灣圖書館動態零訊，在這一期中報導內容有下列等項：

1. 臺灣實施 ISBN 情況
2. 臺灣中央圖書館設立視聽室
3. 臺灣中央圖書館為籌設名人手稿室，已徵得陳香梅和崔萬秋手稿。
4. 錢穆先生紀念館今年 1 月 7 日開館
5. 省立臺中圖書館開辦24小時資訊服務
6. 臺灣將選定24個示範圖書館以加速建立書香社會

在臺灣方面，王理事長振鵠兄發起海峽兩岸圖書館界紙上座談，有關單位並在積極進行邀請大陸圖書館界六名頂尖學人前來訪問，這是極可喜的現象，海峽兩岸文化交流是國家統一的先驅「四十而不惑」不惑就是要掌握正確的方向，堅定地向前走。

附　註

❶ Suzan C. Curzon. Managing change. New York: Neal-Schuman Publications 1989, p. 13.

❷ Ibid., p. 12.

❸ 沈寶環　聽！仔細的聽！　圖書館學與圖書館事業　臺北：臺灣學生書局　民國 77 年　p. 28 。

❹ Suzan C. Curzon, op. cit., p. 14.

❺ 沈寶環　資源共享　圖書館學與圖書館事業　臺北：臺灣學生書局　民國 77 年　p. 1 。

❻ James D. Ramer, Special Libraries. Fall, 1986, p. 219.

❼ Dan Lavier. The Education of Librarians in an Electronically-Oriented Society. Technical Services Guarterly. Spring 1984, p. 15.

❽ 艾文，托佛勒　大未來　時報文化出版公司　民國 80 年　pp. 122, 172, 348 。

❾ Lawrence E. Murr and James B. Williams. The Roles of the Future library. Library Hi Tech 5:3 (Fall 1987).

❿ Tom Surprenant Future Libraries: The Electronic Environment. Wilson Library Bulletin 56:5 Jan. 1982.

⓫ Herbert Poole ed. Academic Libraries by the year 2000, Essays Honoring Jerold Orne. New York: R. R. Bowker, 1977.

⓬ Information 2000, Library and Information Services for the 21st Century. Summary Report of the 1991 While House Conference on Library and Information Services.

⑬ Edward G. Holley. What Lies ahead for Academic Libraries? in Academic Libraries by the year 2000, ed. by Herbert Poole, New York: R. R. Bowker. 1977, p. 7.

⑭ G. O. Segond. The Home Computer-Its Challenge to Education. The Computer in the Home, ed. by B. Levart, E. D. Tagg and F. B. Lovis Amsterdam. North-Holland, 1987, p. 9.

⑮ Edward Cornish, The Study of the Future. Bethesda, md. World Future Society, 1977.

⑯ Brooke E. Sheldon. The Library and the Future. Dec. 18, 1983. Taipei: Library Association of China, 1984.

⑰ Hester Asheim, Education for Future Academic Librarians. Academic Libraries for the year 2000, Ed. by Herbert Poole N. Y. R. R. Bowker, 1977, p. 128.

⑱ Edward G. Holley, op, cit., p. 8.

⑲ Bruce A. Shuman, The Library and the Future. Colo. Englewood Libraries Unlimited, 1989, p. 6.

⑳ Susan C. Curzon, op. cit., p. 13.

㉑ Paul Wasserman; The New Librarianship-A Challenge. New York: R. R. Bowker, 1972, p. 5.

㉒ Charles Robinson. Can We Save the Public Library. Library Lit. 20--. The Best of 1989. ed. by Jane Cenne Hannigan. Metuchers, N. J., 1990, p. 101.

㉓ Information 2,000, op. cit, pp. 3-8.

㉔ Ralph McCoy. New Views of the First Amendment. In the First Freedom today. ed. by Robert B. Dawns and Ralph E. McCoy Chicago: A. L. A., 1984, p. 29.

㉕ Verna L. Pungitore. Public Librarianship. An Issue-

Oriented Approach. New York: Greenwood Press, 1989, pp. 135-6.

㉖ Libraries and Information Services Today. Chicago A. L. A., 1991, pp. 3-11.

㉗ Ibid., pp. 4-5.

㉘ Ibid., p. 12.

㉙ Ibid., p. 13.

㉚ Ibid., p. 17.

㉛ Ibid., p. 13.

㉜ Ibid., p. 19.

㉝ Richard W. Budd. A New Library School of thought. Library Journal May 1, 1992, p. 44.

㉞ Ibid., p. 44.

㉟ Libraries and Information Services Today. op. cit., p. 23.

㊱ Alice I. Bryan. The Public Librarian. New York: Colcemlbia University Press, 1952, pp. 28-29.

㊲ Budd. op. cit., pp. 44-45.

㊳ Lester Asheim, op. cit., pp. 132-134.

㊴ Joe Morehead. Theory and Practice in Library Education Littleton, Colo. Libraries Unlimited, Inc., 1980, p. 110.

㊵ 加強公共圖書館建設六年計劃（草案） 民國81年元月20日。

3. 如何因應變局——
圖書館經營首要問題初探

世局多「變」，國家、社會、個人無一不「變」，在「變」的大環境之中，圖書館如何因應？有識之士深引爲憂。

一、談「變」色變

馬丁（Lowell Martin）在一項主要的演講（鮑克紀念講座（Bowker Memorial Lecture）中指出：「當前的公共圖書館好像一中年人面對著危機，他的因應之道有二。一條路使他奮發圖強努力生產建立第二春，另一條路是頹廢消沉，步入死亡，如果選擇錯誤因應不當圖書館就會未老先衰」（Slip into premature old age）❶。馬丁的驚人之談並非捕風捉影而是有感而發。他認爲圖書館變動太多，企圖同時變成人民大學、社區中心、免費書店、青少年自修場所等多功能機構，心有餘而力不足。他進一步的聲稱，在目標與成就之間，理想與事實之間和能力與資源之間都存在著嚴重的差距。

先師伊斯里克教授（John Eastlick，也是我在丹福市公共圖書館擔任專業館員、讀者顧問時的館長）在與斯提爾教授（Robert

D．Stueart 現任西姆斯學院圖書館學研究所所長）合作編寫的圖書館管理學第二版的最後一章就以「變」——對於圖書館管理的衝擊爲章名，這一章也就是這本名著第二版和第一版最大的不同之處，我自己藏書之中收集有此書第一版，後來斯提爾又親自簽名贈送我第二版，我才有機會詳加比較，我極爲欣賞「變」這一章的卷頭語「我們很多人都有一種模糊的感覺，似乎事物變動得越來越快……在現在舉行學術會議時很少不提到「變」的挑戰，很多人都會產生不安的情緒——懷疑「變」是否已經失去控制」❷。莊克（Drucker）將一般性的「變」組合成爲四項：

- 新技術的引進
- 世界經濟的組合
- 政治、社會的轉變對於當前機構的敵意
- 知識經濟的形成（Knowledge Economy）

二、「變」的性質

「變」在性質上可以區分爲兩大類型：

1. 正面的「變」

就圖書館而論，正面的變（Positive Change）是有利的，此項利益可能是：

- 立即見效的。例如：增加加班費
- 以後收效的。例如：舉辦講習會

2. 負面的「變」

就圖書館而論，負面的變（Negative Change）是有害的。

例如：●削減經常費

　　　●裁減人員

值得注意的是「變」常常是模糊不清的，有時正中有負或是負中有正。例如：

●24小時開館，若干喜歡日夜顛倒的夜貓讀者可能大樂，上級輿論也會贊揚，同仁則勞累不堪，其他經常工作也會受到拖累。

●上級機關削減購書經費，但圖書館也可以趁此解決尚待整理圖書的分類編目。

成功的圖書館主管和單位負責同仁應有能力在正面的「變」中找出可能出現的負面因素，在負面的變中試將不利的因素變為部分有利的正面因素。

三、「變」的形式

1. 永久性的「變」

例如：拓建館址。

2. 繼續性的「變」

例如：圖書館自動化，館方可能決定單位先後秩序，此一種變是有計劃的也可能有時間表。

3. 臨時性的「變」

例如：館員公出或事病假等情況，工作由別人暫代，修理館舍，辦公室臨時調配。

四、「變」的對象

1. 工作程序之「變」
例如：修正流通規則。
2. 組織之「變」
例如：增加副館長，或提高同仁職等。
3. 技術之「變」
例如：資訊服務組增加CD ROM設備。
4. 人事之「變」
例如：同仁出國進修或調動單位。

五、「變」的來源

1. 外來之「變」
外來之「變」可能有政治、經濟、社會、技術等背景。
例如：捷運系統施工期間對某一分館出入交通的影響。
2. 內部之「變」
例如：「變」動大多為正面的。
例如依照圖書館法規定（假定立法通過），將館員分為五級，提高館員地位與士氣。
3. 指定之「變」
例如：上級指令變動事項，會議決議事項。
4. 主動之「變」

多半由館方自動自發的轉變，也可能由同仁建議經行政部門同意而產生，爲理想之「變」。

例如：組織同仁交誼會（Staff Association）增加同仁間情感交流及意見溝通的機會。

六、「變」的阻力

此處所謂變的阻力，當然指正面的「變」遭遇困難而言，彭淇托（Verna L. Pungitore）在論及未來的公共圖書館時指出❸：

「和其他專業一樣，公共圖書館人員也有傳統主義和進步主義，安於現狀和不斷質詢，過份謹愼和完全樂觀的分別」，照他看來，今日的專業館員過份保守，缺乏求新精神而不講道理的抗拒「變動」。

管理科學專家班特列（Trevor J. Bentley）將員工抗拒改「變」的原因列舉如下❹：

1. 對有關係的人員缺乏商談和討論。

2. 有減少人員或認爲人員過多的疑慮。

3. 有關人員擔心降低地位或技能。

4. 取消了原有的工作組織或團體。

5. 以爲「變」會對個人產生威脅。

6. 工作人員不喜歡不熟悉的工作環境和條件。

7. 以爲對現在滿意的工作環境有影響。

8. 可能影響個人的私生活。

以上各種情況並不是絕對的，大多數的人員在兩可之間，不

一定能分類於任何一項，也可能和若干項扯上一點關係，主管人員應該設法將反對正面的變的力量減少到最低限度，最好能消弭於無形。

　　班特列更提出如何執行正面的「變」的建議：

　　1. 提出具體資料。

　　2. 先作準備工作。

　　3. 使同仁接受提出來的資料。

　　4. 將「變」組織起來。

　　5. 盡力執行。

　　6. 觀察結果。

附　　註

❶ Patrick Williams, The American Public Library and the Problem of Purpose. New York: Greenwood Press, 1988, p. 130.

❷ Robert D. Stueart And John T. Eastlick, Library Library Management 2nd ed., 1981, p. 177.

❸ Verna L. Pungitore, Public Librarianship New York. Greenwood Press, 1989, p. 197.

❹ Trevor J. Bentley, The Management Services Handbook. London: Holt. Rinehart and Winston, 1984, p. 436.

4. 公共圖書館形象問題

一、形象有關

1. 曾經有一位美國朋友對我說：「圖書館不同於過去我所看見；那些美麗、親切、笑面迎人的女館員不知道躲在那裡，面對讀者的是一排面目可憎的終端機」❶。

2. 根據蓋羅普1976年所作的民意調查，個人在取得資訊時，圖書館並不是主要來源，朋友、電視、報紙、電台的排名都在圖書館之上❷。

3. 若干研究報導圖書館在解答讀者參考問題時，提供正確答案的能力，還不到50％❸。

二、所謂形象問題

圖書館事業重視形象問題（image problem）應該是天經地義的事，但是令我感覺到訝異的是圖書館界專家學者對於「形象」都採取避而不談的態度，為了寫作本文，搜集參考資料，我曾經仔細檢索圖書館學文獻索引（Library Literature）竟然找不到有關形象（image）的款目。

近年以來內容涉及圖書館形象的專書，以下列四種比較具有

代表性。

1. 柏克蘭（Michael K. Buckland）所著圖書館服務的理論與實際，顧名思義，這部著作是站在服務的立場討論圖書館學的哲理和運作，他以一連串的問題來啓發讀者的思想。例如怎樣才算優良的圖書館？爲甚麼沒有更多的讀者來利用圖書館 ❹？這些問題都和「形象」有不可分割的關係，但是全書之中完全看不到「形象」兩個字。

2. 彭其杜（Verna L. Pungitore）是以歷史法來研討「形象」，她將圖書館形象的演變分類爲「一般形象」（popular image）和「新形象」（new image）兩個範疇。在「一般形象」中她完全採用麥克雷諾（Rosalee McReynolds）在圖書館學報（Library Journal）所發表的一篇文章 A Heritage Dismissed 作爲討論的中心，這樣推論的結果，圖書館的「形象」不是從外面看裡面的問題，而成了自己看自己的問題，至於所謂新的形象則指圖書館的功能在資訊時代如何轉變成爲社區資訊中心，圖書館員則搖身一變成爲資訊提供者 ❺。彭其杜所寫的公共圖書館學（Public Librarianship）是一部好書，但是有關「形象」部份卻不是精華之所在。

3. 馬丁（William Martin）所寫的社區圖書館學——公共圖書館外貌的轉變（Community Librarianship : Changing the face of Public Libraries）是一部極有深度的英國出版品，他力主圖書館要廢除機關衙門化的官僚作風才能發揮功能；完成使命這部書的整體精神可以以 Deinstitutionalization 一個關鍵字來代表 ❻。

4.羅柏斯（Ann F. Roberts）和白南底（Susan G. Blandy）合著的圖書館員公共關係（public Relations for Librarians）是討論圖書館「形象」的正字號著作，這本書的第二章即以形象（The Image）作為篇名❼。我覺得這兩位女學人真正抓住了問題的核心，由於在傳統上，圖書館「形象」被看成公共關係的主要部份，本文以後的討論將轉移到圖書館的公共關係。

三、圖書館公共關係（Public Relalations of Libraries）

1.公共關係的界說

根據美國圖書館學會術語詞典（A.L.A. Glossary）所下的定義「圖書館公共關係乃是圖書館有意的活動，其目的在於告訴讀者圖書館的各種服務與計劃以加強社會大眾對於這些服務與計劃的價值觀念」❽。

在上述界說，我們可以看出所謂圖書館公共關係在實質上具有三項涵義：

A.圖書館公共關係的運作以建立良好形象為目的。

B.圖書館公共關係的活動必需有實質的內容。

C.圖書館公共關係的對象是讀者和可能成為讀者的社會人士。

圖書館是為讀者設立的，讀者服務因此成了圖書館最主要的工作，如果讀者對圖書館印象不佳而過門不入，圖書館如何推動讀者服務？圖書館界將推動公共關係的對象鎖定在讀者和潛在讀者（potential readers）的身上，不能說沒有立場。貝絲勒(Jo-anne Bessler）的傑出論文定名為圖書館讀者知道我們做的事是

為了他們好嗎（Do library patrons know what's good for them?）她並沒有責怪讀者不知好歹，她說：「如果讀者對於讀者服務不滿意，並不是讀者有意讓圖書館受到挫折」❾。換言之，失敗的原因，圖書館責無旁貸。

圖書館讀者服務工作何以不能做到盡愜人意？斯丹童(patricia Stenstrom) 指出讀者和圖書館對於服務的解釋南轅北轍，迥然不同是主要原因 ❿。圖書館習慣於以特殊功能將服務分組，這是我們所以成立讀者服務和技術服務的理由。讀者則認為迅速借到圖書，正確答覆參考問題，架上圖書井然有序，愉快的閱讀環境才是讀者服務。

圖書館一向是不取任何費用的，這種情勢在資訊時代已有極大轉變，線上檢索需要經費，圖書館被迫不能不採取「羊毛出在羊身上」的政策。柏克蘭指出讀者為了取得資訊必需要付出的代價不止金錢而已，時間、精力、不滿都是代價⓫。這種觀點得到盧維士(David W. Lewis)的支持，他說「圖書館以不收費號召，事實上，讀者耗費了寶貴時間以及對若干服務不滿而產生的懊惱不是代價是甚麼？」⓬

2.圖書館公共關係的泥足

以讀者為圖書館從事公共關係運作的對象並不是圖書館界一致的共識，哈里士 (K. C. Harrison) 就是異議份子之一，他在圖書館工作人員公共關係 (Public Relations for Librarians) 一書中第一章第一句話就指出：「圖書館員把公共關係看成圖書館與讀者之間的關係，他們過於簡化問題了」⓭。照這位英國學人看來，圖書館公共關係的著眼應該擴大延伸到國際、國家、地區、

都市，同時要與敎育界、社會服務、圖書出版事業等相關機構接觸，同時也不要忘記圖書館本身的工作同仁。

有鑒於圖書館公共關係的重要，圖書館趨勢學報（Library Trend）於 1984年冬季刊出以圖書館公共關係爲中心議題的專刊，其目的在於檢討在1980年代中期美國圖書館公共關係運作的成果。美國朋友常常是喜歡杞人憂天的，諾頓（Alice Norton），這位諾頓公共關係企業的女強人，在她提供的論文中斷定「在這段時期內圖書館公共關係的基礎是脆弱的」❹。諾頓的話雖然有點過份，但也不是無的放矢，她是根據1983年威尼（Frank W. Wylie）所作的調查而發言，在隨意抽樣的 100 所大型公共圖書館中祇有 58 ％推動公共關係，而眞正準備了運作計畫的僅有19 ％ ❺。

3. 圖書館公共關係的趨勢

A. 圖書館專業組織以及國家級圖書館的積極倡導。

美國圖書館學會會長史東（Elizabeth Stone）（任期 1981-1982）的年會專題演講即以「讓社會人士認識圖書館」爲題目。

1984年圖書館週（National Library Week）美國圖書館學會更與麥當勞公司（McDonald's）合作，利用該公司產品宣導圖書館服務。

美國國會圖書館（Library of Congress）與哥倫比亞廣播公司合作，在電視上提供讀者節目——「多讀點書」(Read more about it) ❻。

B. 圖書館界與出版事業合作。

圖書館與出版事業、書商合作乃是一個互利的局面，書商需要知道圖書館所急需採購的圖書資料以便及時供應；出版商則需

要了解圖書館的館藏發展政策以便配合書商，出版事業則能夠擴大市場。

以英國爲例，過去幾年之內，每年圖書館界都與出版公司、書商舉行會議，伯明翰市（Birminham）公共圖書館館長彭菲爾（Brian Baumfield）所召集的圖書館與出版事業會議，出席的圖書館員、出版商、書商、作家、圖書館設備供應商，每次都在兩百人以上，會期通常一天，會後並印製報告書分發會議，成員以及參與單位 ⓱。

4.圖書館聘用專才從事公共關係運作

美國布魯克林市（Brakly public Library）公共圖書館於1978年開始成立公共關係單位，並且聘請公關專家莫蘭（Irene Moran）主持業務。

5.圖書館採用「自我推銷」方法以帶動公共關係的運作。

美國丹佛市立公共圖書館（Denver Public Library簡稱 D.P.L.，爲筆者在美國時服務的圖書館），多年以來即以堅強的陣容大力推展公共關係聞名於世。自 1983 年以來，D.P.L. 運用「自我推銷」方法（Promotion）以加強公共關係的運作 ⓲。

由於篇幅限制，以上所舉例證，不過是冰山所露出海面的部份而已，讀者若需要更多有關公共圖書館公共關係的資料，請查閱圖書館趨勢學報1984年冬季特刊。

附 註

❶ 沈寶環 圖書館學與圖書館事業 臺北：學生書局 民國 77 年 p. 92 。

❷ Gallup Organization Inc, p. 1976.
其他如 Zweizig and Dervin 1977 的調查，也有相同結果.
見 Verna L. Pungitore. Public Librarianship New York: Greenwood Press, 1989, p. 131.

❸ David W. Lewis. "A Matter of Return on Investment." The Journal of Academic Librarianship; May, 1990, p. 80.

❹ Michael K. Bucklard. "Library Services in Theory and Context." New York: Pergamon Press, 1983, pp. 9–11.

❺ Verna L. Punqiture. Public Librarianship. New York: Greenwood Press, 1989, pp. 116–132.

❻ William J. Martin. Community Librarianship: Changing the face of Public Libraries. London: Clive Bentley, 1989.

❼ Anne F. Roberts and Susan Griswold Blandy. Public Relations for Librarians. Englewood Colo. Libraries Unlimited Inc., 1989, pp. 11–23.

❽ A. L. A. Glossary ed. by Heartsill Young. Chicago: A. L. A. 1983.

❾ Joanne Bressler. "Do Library Patrons Know Whats good for them?" The Journal of Academic Librarianship Vol. 16, No. 2, pp. 76–85.

❿ Patricia F. Stenstrom. "Our Real Business" The Journal

　　　　Of Academic Librarianship Vol. 16, No. 2, p. 78.

⑪　　Buckland op. cit., p. 107.

⑫　　Lewis op. cit., p. 80.

⑬　　K. G. Harrison. Public Relations for Librarians Hampshire England: Gower Publishing Co., 1982, p. 1.

⑭　　Alice Norton. Library Public New Opportunity in a Growing Field in Library Trends, Winter, 1984, pp. 291-302.

⑮　　Ibid., p. 293.

⑯　　Ibid., p. 294.

⑰　　Harrison op. cit., pp. 10-11.

⑱　　Norton op. cit., pp. 296-297.

5. 略論公共圖書館 館藏發展政策

閱讀部份有關文獻後的初步認識

一、「圖書館應該有多大？」

提出這個問題的是柏克蘭教授（Michael K. Buckland），這位傑出學人是 University of California — Berkeley 圖書館學研究院院長，他是現代圖書館學理論的權威，他的寫作篇篇精彩，讀後必有所得，因此也是我列爲必讀的文獻，去年我去美國出席美國資訊學會年會，手邊只帶了一本書，柏克蘭著圖書館服務的理論與實務❶，我的原意只打算略爲翻閱，以消除飛行旅途的沉悶，結果在去程中我無法釋手，將這部名著從頭到尾細讀一遍，回程時我又邊看邊想的重讀一次，我覺得他的思想每每比其他學人的觀點更爲深入、新穎，好像他永遠走在時代的前面，他的文字表達能力更是與衆不同，常常有神來之筆，使讀者有畫龍點睛、豁然貫通的感受。

在本書中論及圖書館服務的—— 基本問題時，柏克蘭提出一連串的問題❷。

●爲甚麼圖書館間彼此會不相同？

●為甚麼圖書館的使用不能提升？

●圖書館如何繼續存在？

●使圖書館良好（Library goodness）的因素是甚麼？

●圖書館應該有多大？

從表面看柏克蘭所提出的幾個問題，除了最後一項，涉及館藏，前面幾題似乎和館藏發展政策扯不上太直接的關係，那麼，我為甚麼要多此一舉引用柏克蘭的文字？如果略加注意更會發現下列特徵。

(1)這些問題並不特別，人人會問，但是很少人問。

(2)這些問題，因為通俗，人人會答，而且答案不同，到目前為止，還找不到標準答案。

(3)柏克蘭只提出問題，並沒有提供直接的答案。

柏克蘭為甚麼不肯直接答覆自己提出來的問題、站在他的立場，是一個寫作目的、方法和技巧的問題，站在我們這些讀者的立場則是一個讀書方法的問題，柏克蘭的整本著作就是答案，他寫圖書館的理論和實務的哲學就是安排在以這些問題為中心的基礎之上，阿特勒（Mortimer J. Adler）在講閱讀方法時，曾經指出：「當你讀書時，要讀兩行字的中間」（Read between the lines）我們的文字也有「字裏行間」之說，柏克蘭將圖書館服務的幾個基本問題放在前面以原始與動機（Origins and Motivation）為篇名的一章中是有深意的，我認為閱讀本書的正確方法是將這些問題記在心裏一面思想一面細讀。

柏克蘭的寫作方法獨樹一格，他喜歡以迂迴轉圜的文字啟發讀者的思想，同時間接的表達自己的主張，在提出「圖書館應該

有多大？」時，他說：「合理館藏（Optimal Size）」這個問題，我們有理由期盼它成爲圖書館學文獻的一個中心議題，但事實並非如此，相反的，我們只看到缺乏理論基礎的研究，討論若干類型圖書館的最低限度館藏，而現在流行的觀念（並沒有取得共識）以爲「大就是好」（Bigger is better），很少文獻直接研討「合理館藏」，又是爲了甚麼❸？至於他所提其他幾個問題，雖然沒有直截了當的和館藏發生關連，但是圖書館事業的理論和運作都是互相呼應的和整體的，因此柏克蘭的這些寫作似乎可以列入有關館藏發展的文獻。

二、館藏發展問題重重

1. 質量之爭

在論及館藏發展政策時，紐西蘭奧克蘭大學圖書館長杜瑞（Peter Durey）指稱：「有關館藏發展政策的若干基本構想正在遭受不斷的質詢，其最顯著的檢討就是針對着『大』就是『美好』（Big is beautiful）」❹。前述的柏克蘭在解釋「大館思想」（Large system）時說：圖書館方面對於「大」的觀念實際上非常簡單，「圖書排在書架上，讀者無論是個別的或多人，能夠在書架上找到某一本書或是更多的圖書資料」❺，基於這種理由，圖書館一向不願承認追求「量」的增加是館藏規劃的目標，而是以加強「服務」爲大量採購的擋箭牌，杜瑞接着說「誰也不能否認『質』『量』並重的道理，但不幸的是『量』經常被誤導爲『質』

的同義字，在實際運作時『量』成爲業績成效的唯一量表」❻，
這種意見深獲格來斯登（Joan Gladstone）的支持，在圖書館員
的藝術一書中，她說「量的追求，多年來困擾着圖書館採購部門
『量』是容易計算的，但不應用爲評估價值（value）的標準」❼。

2. 圖書館員難爲

談到館藏發展圖書館員常有進退維谷，舉止失措的感覺，一
方面館藏不可能無限制擴張，甚麼程度是上限？這點將在以後說
明，另一方面圖書館設立的目的乃是爲了服務麥士曼（Vigil F.
Massman）說「圖書館採購新書的政策必需要與當前知識生產的
速度並進，圖書館要繼續存在必需要不斷採購新穎圖書資料，否
則會不像圖書館而成了一所陳舊的檔案室」❽。韋伯（William
H. Webb）同意「圖書館當然要成長」，但他認爲現在的眞實情
況是圖書館不可能無限期的大量增加館藏❾，這兩篇卓越的論文
都登載在歐尼（Jerrold Orne）的紀念論文集中，但是圖書館員
似乎祇看得見麥士曼的文字。

就館藏的成長而論，圖書館員幾乎一致認爲增加書藏是他們
神聖不可侵犯的權利（Divine right），希格曼（Norman Higham）
引用恩耐特（Brian Enright）的驚人之談，說「圖書館員對於肆
意拓充館藏的態度是任何解釋或表示身不由己，都是不必要的。
如果有人懷疑那就是粗鄙不當的（barbaric and indecent）行
爲，館員同仁之中如果有反對拓張書藏的聲浪都會被看成圖書
的敵人，圖書館界的吉士林（bibliothecal Quisling）」❿，杜瑞
則不像恩耐特用詞尖銳，他以諒解的口吻說圖書館員的處境是相

當值得同情的,「很顯然的對大多數提出的要求,圖書館表示同意,說「yes」比對競爭性要求在詳細評估後,不得不拒絕其中一部份而說「no」要容易得多」⓫,過去不久圖書館經費充足,羅森伯倫(Joseph Rosenblum)曾經以進化論的觀點將圖書館事業的變動分類為三個時期,而指出1960年代是採購工作的黃金時期。由於那時經費充裕,圖書館採購工作可謂予取予求⓬,因此讀者推薦圖書時圖書館幾乎照單全收,近年以來,受到經濟不景氣影響,文教經費遭受削減,對於圖書採購,圖書館已是有心無力,然而圖書館員早已經養成點頭說「好」的習慣,現在他們幾乎不知道如何對讀者說「no」(Lost the art of saying no.)說到此處他的口氣轉為嚴厲,他指控一般的圖書館員的心態有點偏差,只會想到「成長」「拓充」,解決問題時只是要求增加人員、經費和書藏⓭。狄因(John Dean)則站在另一個角度批評圖書館員,他說「圖書館員對於圖書館館藏大小,和成長的關心還趕不上對空間不夠的關切」⓮。

3. 環境的壓力

二十世紀末期資訊社會的來臨完全改變人類的生活,奈斯畢(John Naisbitt)在大趨勢一書中指出:

●每天有六千到七千篇科學論文出現。

●科學和技術資訊現在每年增加13%,也就是說每五年增加一倍。

因此他斷言「資源匱乏不是問題,被資源淹沒却是大問題」,「而我們雖被賀訊淹沒,却渴求知識」⓯。前述的韋伯在奈斯畢

之前就提出類似的觀點，他說「在公元二千年時，我們所處的社
會會每件事越來越多（more of everything），更多的圖書、期
刊學報，更多的專業，更多的檢索便利，更多的學生」我還要加
上「更多的資訊需求，更多的讀者」（或使用者）」他指出每件
事越來越多的原因在於強調這些事的「多」反而使原來希望達到
的目的却越來越遠，茲選擇性的列舉部份如下❶：

- 越來越多的資訊但知識的取得却相對的越來越少（more
  information and less Knowledge）。
- 越來越多有關資訊的知識但對使用者的支援却相對的越來
  越少（more knowledge about information but less
  help for the user）。

奈斯畢和韋伯的觀察似乎都和資訊爆破有關，華特森（Eli-
zabeth Watson)却不喜歡運用這個我們習以爲常的名詞。她說：
用「爆破」字樣來形容一個幾十年來不斷運作的現象是不通的，
資訊的問題應該看成兩個循環圈（cycle）❶：

- 需求循環 Demand cycle。

  圖書館企圖儘可能滿足以及因應讀者的資訊需求。
- 出版循環 Publication cycle。

  新知識的出版、收集，儲存以及運用。

就華特森看來在出版循環方面，圖書館完全沒有控制，韋伯
的觀點略有不同，他認爲圖書館員在館藏規劃時應該在預算判斷
和予以讀者主題支援（subject support）之間求得平衡❶，他是
以經濟觀點來看出版循環的，這點不足爲奇。圖書經費縮水而書
價飛漲是當前西方國家圖書館界天字第一號問題。英國圖書館學

專家席魏爾（Philip H. Sewell）就是因爲經濟的理由力主資源
共享的，在他所寫的資源共享一書中，他專設一章討論經濟
因素（Economic Factors in Resource Sharing），他指出:「根
據英國在1977年舉行的調查，在以往15年之中，圖書期刊出版的
成長率增加 4 ％，同期中，期刊學報的平均訂費由 4 英磅漲價到
30英磅，每册圖書的書價也由 1 英磅提升到 5 英磅」⑲。我國情
況完全不同，一則在經濟世界的領域我國一枝獨秀，再則政府和
民間都重視文教，國家預算文教部份逐年增加，若干圖書館採購
經費不足（例如若干文化中心圖書館），是地方議會預算分配問
題而不是基於經濟的考慮。

4. 讀者的需求

圖書館是爲讀者而設立的，因此滿足讀者的資訊需求成爲圖
書館的主要課題，這種理論講來容容易易，實行時却是難上加難。
柏克蘭認爲問題就出在「需求」（needs）這兩個字，他指出下列
可能情況⑳：

(1)讀者看不出來自己有這種需求或是不知道圖書館可以幫助
他滿足這種需求。

(2)讀者知道自己的需求，但是沒有採取利用圖書館的行動。

(3)讀者不能表達自己的需求，開口提出的「要求」（wants）
並不是他的本意。

(4)讀者利用圖書館的企圖沒有成功，圖書館不能滿足他的需
求。（例如借不到某一本書）

前面(1)、(2)、(3)三點是屬於讀者研究（User study）的範圍，

圖書館參考館員與讀者之間的對話和溝通是圖書館常用的方法，第(4)點則與館藏有關，也引起若干爭議，柏克蘭聲稱讀者借不到書的反應不外 ㉑：

- 到另一所圖書館去碰運氣。
- 向朋友借閱。
- 自己購買。
- 放棄借閱的念頭。

圖書館方面可能的因應：

- 多買複本。
- 縮短出借某一本書的時間。
- 將書放在指定參考書架，不出借，只供館內閱讀。
- 設置出租本（Rental copy）收取租金。

柏克蘭不過是陳述一些可能的現象而已，並不表示他贊成這些意見，他的真正意向是指出圖書館的服務並不是像我們一向強調的「不需代價」（Free），讀者為了取得資訊常常要花費時間奔走，甚至情緒受到影響 ，這些都是「 非金錢式的付出代價」（ Nonmonetary expressions of price）。何況有時還要真正的繳費（ 如罰款、Rental copy 的租金 ）。

為此，勞林森（Nora Rawlinson）主張圖書館多買複本，以因應讀者需要，「讓他們不必花時間去等待」㉒。墨茲（ Jean Barry Molz ）則較為婉轉，她說「館藏發展的工作就是把讀者需要的圖書放在架上，而且要時就可以找到」㉓，換句話說，她贊成採購複本，讀者借去一本，架上還有拷貝，勞林森和墨茲的理想，美國巴爾的摩縣公共圖書館（Baltimore County Public Library

簡稱BCPL）付諸實踐，此一圖書館採購多數讀者閱讀的圖書資料而供應足夠的複本使讀者可以快速的取得自己要找的資料，而不是提供廣博範圍（Broad）學科分散（Diverse）的書藏，這就是所謂「使用者導向」"User-oriented" 和「供應者導向」(Supplier-oriented)思想的分野,彭其杜Verna L. Pungitore)對於這種觀念和運作不以爲然，他說「這種作風損傷了圖書館的令譽，也使得代表圖書館專業的圖書選擇工作抬不起頭」❷。夏耳(F. A. Sharr)很感嘆的說「很久以來，圖書館員的精力完全放在館藏和科技方面，他們忘記了眞正應關心的是讀者」❷。

三、相關文獻中各方面的意見

1. 有生命有機體的特徵

基於圖書館「動」「變」的本能，我曾一再提出圖書館是有生命的有機體的理論，爲了便於說明，請參閱附圖：（見下頁）

值得我們注意的是在生命的要素中，「成長」（Growth）在圖表中看來好像只是要素之一，實際上成長與每一要素都有不可分割的關係，因此「成長」儼然成爲生命要素的重心，有生命的有機體不斷「成長」，然而「成長」是否有限制？此一問題有下列答案：

(1)有生命的有機體的成長有限制

世界有史以來,生物體型最龐大者爲恐龍。時代雜誌1991年10月28日報導兩棲恐龍（Seismosaurus）身高140尺,體重

生命的要素 Elements of Living Organs	圖書館比照活動 Matching Actions of Libraries
誕　　生	圖書館的建立。
組　　織	圖書館的編制。
繁　　殖	分館的設置。
新陳代謝	以新書代舊書，新版代舊版。 以較好的代替不合用的書。
吸　　收	購置新穎合用的圖書資料。
消　　化	圖書整編程序。
排　　泄	清除陳舊、過時的圖書資料（Weeding）。
細　　胞	經過整理上架的書刊，各有其相關位置Relative Location）每一册書在書架上及書庫中的地位，相當於細胞。
成　　長	書刊的增加（西文稱之爲Growth of Collections 而不用 Increase，實具有深意，盲目的添置則爲畸形成長，有計畫的選購才可達到平均成長的目的。）
保　　健	館室秩序整潔的維護、空氣的流通、溫度的調節、光線照明的注重、清點圖書等於體檢。
血液循環	圖書的流通、出納。
自　　衞	出納控制、防盜與安全設備。
群　　性	館際合作，資源共享。

90噸。

(2)以人而論最高之人為莫三鼻給人Gabriel E. Monjane 身高245.7公分，最胖之人為美國人 T. J. Albert Jackson 體重407公斤（金氏世界紀錄）我國小說中有「這秦瓊長大，生得身高一丈，腰大十圍……」（隋唐演義p.29）之語，因是小說誇大，不足為憑。

(3)前述(1)、(2)只是身材體型的敍述，有一定上限，但智慧、知識的成長，在有生之年是無限成長的，因此成長不限於肉體。

(4)人類為了生存，有保健的行為，身體成長到某種程度則希望停止，減肥、節食等方法應運而生。

圖書館是有生命有機體自然也有成長到甚麼程度的問題，前述的格來斯登說「取代過去充滿脂肪、肥肉腫脹的圖書館（Fat Floated Libraries of the past）我們期盼肌肉結實充滿男性健康活力的圖書館（Lean musculer libraries）出現，這樣未來的日子才好過」❷❻。恩耐特（Brian Enright）甚至於指出圖書過份拓張是圖書館所患的不治之症，他在定名為「書病」（Biblio-thanasia）的論文中說圖書館所收藏的圖書如果達到汗牛充棟的程度，圖書館就會生擁擠不堪、無法呼息的病（Oclothanasia）最後不免死亡（death by overcrowding）❷❼。

2. 多大算大，多小算小？

女性為了保持美好身材，常常留心自己的三圍，男士想要身強體健也不斷測量體重，這樣才有自知之明，以決定飲食熱量和是

否應當減肥。圖書館也有體積大小的問題，彭其杜（Verna L. Pungitore）在公共圖書館學一書中說「過去企圖將公共圖書館的大小根據人口、服務地區以及若干標準將圖書館分類的企圖並不成功，甚至將圖書館大致區分為小、中、大三級都很困難」，有人將服務 25,000 人以下的圖書館稱為小館（Small Library），但是在這個範圍內有些圖書館只對 500 人民服務，每週開館不足 20小時，只能僱用兼任館員，和那些服務 20,000 人口，每週開館 60 小時，館員有三、四人之多的圖書館沒有相同之處。薛吉（Donald J. Sagen）對中、大型圖書館也有類似的觀察。他說美國有 2,620 個中型圖書館（Medium-sized library），服務人口在 10,000 到 99,999 人之間，此類圖書館情況極為分歧，都市圖書館和鄉鎮圖書館有顯著差異。至於大型圖書館 Large-sized library）美國共有 234 所，大多為都市圖書館，服務人口在100,000 以上，這一類型圖書館雖不像中型圖書館個別差異顯著，但服務 500,000 人口以上的超大型圖書館似應另外組成一類，而稱為主要圖書館（Major urban libraries）。彭其杜的結論是所謂小、中、大不過是比較性字樣，如果依據這種標準將公共圖書館依分類組合討論共同問題是沒有用處的㉘。

3. 「不變成長」（steady-state）

有關館藏規模的討論，自1970年代的後期開始 ，到史迪爾（Colin Steele）主編不變成長、零成長與學術圖書館論文集時達於高潮。何謂「不變成長」？當美國男女兩性相悅，尤其是青少年墜入愛河，山盟海誓永不變心時，稱為 go steady ，至 於

state 一字只能譯爲情況或情勢。我覺得採用「不變情況的成長」略嫌累贅，因此譯爲「不變成長」。

更因爲「不變成長」究竟是我「一家之言」的翻譯，本文後面都用原文 steady-state。

(1) steady-state 的界說

A.根據美國圖書館學會術語字典的解釋當館藏成長淘汰廢書數字等於登記新書時的情況，稱爲 steady state ㉙，其同義字爲零成長（ zero growth ）與無成長（ no-growth ）。

B.狄因（John Dean）則認爲 steady-state 和 Zero growth 之間有程度的差異。他說：steady-state 是以負面較少（Less Negative），比較模糊（more ambiguous）的字樣來形容 Zero growth ㉚。

(2) steady-state 的來源

A.借用的名詞

Steady-state 爲工程人員廣泛運用的名詞,其原意指調整人造系統的輸出與輸入以達到平衡的境界，又在天文學方面則爲形容宇宙原始及性質的理論，在這兩種學科方面，steady-state 都與經濟無關。

B.圖書館學的意義

圖書館學借用 steady-state 這個名詞 ，乃是近年的事，其運用完全是基於經濟的考慮❸。 steady-state 的觀念在小型公共圖書館以及較大圖書館系統的分館流行，馬士曼（Massman）

的評語是「運用極爲成功」❸。

    (3)　steady-state 理論產生的原因

促成 steady-state 理論的背景有三：

A.　減少費用的需求。

B.　對於圖書館館藏無限制拓充予以某種程度限制的需求。

C.　提高服務的需求。

    (4)　steady-state 的運作

steady-state 的構想，實際上並無新奇之處，不過是爲了保持圖書館的青春、活力的一套保健方法而已，其運作的項目有三：

- 吸收新穎有用的資源——採購工作 acquisition
- 淘汰相等數量的廢物——清除工作 weeding
- 保持館藏穩定的體型——維護工作 preservation

A.　運作的步驟

從表面看 steady-state 的運作很清楚的分爲三個階段，如下圖：

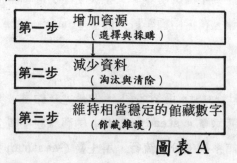

第一步	增加資源 （選擇與採購）
第二步	減少資料 （淘汰與清除）
第三步	維持相當穩定的館藏數字 （館藏維護）

圖表 A

　　這種觀念並不正確因為資源的增減是實際工作的手段，而維
護相當穩定的館藏是目的，合理的解釋應如下圖：

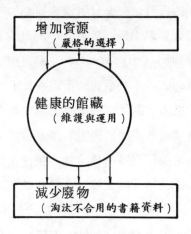

增加資源
（嚴格的選擇）

健康的館藏
（維護與運用）

減少廢物
（淘汰不合用的書籍資料）

圖表 B

　　B.　運作的眞諦

　　主張 steady-state 的人士認為圖書館書藏的成長應該有個
上限，到了某種程度就不應該無限制的拓張，華特森 (Watson)
是從讀者服務的觀點來看 steady-state 的，她說：「這不僅僅是
一個經濟的問題，而是一種理想的設計克制，圖書館如果將運作
安排在提供資訊的便利而不是斤斤計較書藏數量的多少，其功能
一定能眞正發揮」❸。狄因 (Dean) 進一步的說：「所謂steady-
state 的觀念就像英國農村裏面永遠保持一定貯量的米倉 (ever-
Normal grannary)，在圖書館的情況裏採購和淘汰書籍的數字
是平衡的，使館藏量維持不變」❸。換句話說：steady-state
就是控制成長。通常較大的圖書館比較難於接受成長控制的觀念，

圖書館愈小愈容易為未來設計，因此比較容易接受 steady-state。

C. 運作的要素和特徵

steady-state 的理論是完全針對館藏規劃的原則而來，因此對於館藏發展的三大要素：「採購」（acquisition）、「淘汰」（weeding）及「維護」（preservation）都有相當程度的討論，但不及於細節。我想這是由於研究的重點在於「為甚麼？」而不是「如何做？」的原因。基於這個理由，本文無意重述他們的意見以節省篇幅，有關這些方面的研究，讀者最好閱讀我國青年學人吳明德教授的名著館藏發展的第四章「圖書選擇」與第七章「館藏淘汰」，其中有極為精闢的見解可供參考❸。

steady-state派學者大而化之不談細節的作風和我不願贅敍，惜紙省力的心態並不表示 steady-state 的觀念沒有可取之處，值得一提的有下列三端：

首先，主張 steady-state 的學者頗有自知之明，他們承認學術的研究還在起步階段，對於讀者個別使用需求以及科技設備，將來可能扮演的角色所知有限，steady-state 理論的前途充滿未知數❸。

其次，主張 steady-state 的學者認為自給自足的大館思想已經成為歷史的陳跡，因此他們力主館際合作、資源共享❸。

其三，主張 steady-state 的學者並不積極盲目的推銷他們的產品，他們甚至建議若干有意實行館藏控制的圖書館採用選擇性的部份 steady-state ❸。

四、公共圖書館館藏發展問題的管見

圖書館究竟應該有多大？姑無論這個問題有沒有答案，在實質上乃是以普通的口語探討圖書館館藏發展政策的問題。由於圖書館，尤其是公共圖書館有保存文化（也就是知識）產品的責任，因此所謂館藏發展政策的主要內涵是典藏（preservation）保存（preserve），整理（processing）文物以便讀者使用（use）。顯然的，資訊時代的圖書館旣不可能，也無必要盡收天下群籍。狄因（Dean）指出，圖書館所面臨的是一個選擇問題，圖書館應該保存那些圖書資料，他說「知識範圍如此廣博，選擇其中一部份就必需放棄另外一部份」❸。這是實情，我們沒有反對這個觀點的理由。

從另一個角度來看圖書館不可能無限制的繼續擴張下去，因此 steady-state（我譯為「不變成長」）零成長（Zero-growth）無成長（No-growth）的理論紛紛出現，其中以 steady-state 最受注目，steady-state是以「經濟」和「使用」，二者並重的立場來考慮館藏問題，我不願意浪費篇幅討論前者，但對於「使用」的觀點卻甚感興趣。提出 steady-state的學者以「用」的立場來處理「如何吸收有用途的資源（selection）」和「如何清除無用、過時的落伍資料（weeding）」。在「用」的方面他們不僅重視現在有用的圖書資料，而且將眼光放在將來可能有用（Future use）的資源，更進一步的研討有記錄的使用資源（如出納統計）和未經記錄的使用資料（如 Browsing）之間，有無關係❹。換言之，

圖書館資源中每一單項（item）都應發揮它的功能，如何決定一本書將來是否有人會用，杜式威（Richard Trueswell）建議從某一本書上次流通的時間可以看出若干端倪❹。簡應（A. K. Jain）則比較慎重他提出兩種方法來決定「用」的型態——選擇某一本書，注意它在一段相當長時間之內的運用情況，這是抽樣法，或是在一段較短時間內所有圖書的使用情況，這是普查法❷。這些方法雖然比較科學和客觀，但在時間和人力上都頗不經濟。

　　就淘汰無用的陳舊資料而論，提出 steady-state 的學者並沒有提供與眾不同的特殊見解，但是他們不太重視空間（spacc）的觀點却值得我們注意。雷諾（Bernard Naylor）在討論 steady-state 與館際合作時指稱：「在英國館際合作的活動中，對於空間的考慮完全不重要，近來美國圖書館界雖然逐漸有注意空間問題的存在，但是也不認爲有甚麼了不起的嚴重」（space problem is not seen as imperative）❸。「這種看法是因爲他們認爲到了二十一世紀空間問題會自己解決，因爲紙張的脆弱使得書籍的壽命拖不太久」❹。史提爾（Colin steele）輕描淡寫一句話令人看了不禁觸目驚心，毛骨悚然。

　　steady-state 的構想，在西方開發國家中流行自有其環境的背景，這關係到資訊「有」「無」「富」「貧」（information rich, information poor）的問題。英美等國圖書館事業已有深厚基礎，憑藉館際合作，小館可以利用大館資源，因此可以將 steady-state 的理論付諸實踐，未開發國家的圖書館事業則沒有試辦 steady-state 的能力。我國情形特殊，現在已經成爲開發國家，但圖書館事業還在積極進步之中。我們目前雖然沒有接受

steadystate 的必要，但是將來却不無試行的可能，因此我們圖書館界要注意西方國家運作的結果，他山之石可以攻錯，作爲我們館藏發展的參考。

附　註

❶ Michael K. Buckland. Library Services in Theory and Context. New York: Pergamon Press, 1983.

❷ Ibid., pp. 9-11.

❸ Ibid., p. 11.

❹ Peter Durey. "Steady State and Library Management" in Steady-State, Zero-Growth and the academic Library ed. by Colin State. London: Clive Bingley, 1978, p. 68.

❺ Buckland op. cit., p. 30.

❻ Durey op. cit., p. 68.

❼ The Art of the Librarian: a Collection of Original papers from the Library of Newcastle upon Tyne. Oriel press, 1973, pp. 1-13.

❽ Vigil F. Massman. "Change that will effect College Library Collection Development." in Academic Libraries by the Year 2000. New York: R. R. Bowker, 1977, p. 140.

❾ William H. Webb. "Collection Development for the University and Large Research Library; More and More Versus Less and less. in Academic Libraries by the Year 2000. New York: R. R. Bowker, 1977, p. 139.

❿ 吉士林指納粹德國佔領挪威時與德軍合作的挪奸 Quisling. Keith Barr and Maurice Line (eds) Essays on Information and Libraries: Festschrift for Donald Urquhart London: Bingley, 1975.

⑪ Durey op. cit., p. 64.

⑫ 沈寶環　圖書館學與圖書館事業　臺北學生書局　民國77年　pp. 1-4。

⑬ Durey op. cit., pp. 64-65.

⑭ John Dean "Growth Control in the Research Library" in Steady-State, Zero-Growth and the Academic Library ed. by Colin Steele. London: Clive Bingley, 1978, p. 84.

⑮ John Naisbitt 著，黃明堅譯　大趨勢　臺灣經濟日報社　民國72年　p. 14。

⑯ Webb. op. cit., pp. 139-151.

⑰ Elizabeth A. Watson. The Concept of the Steady-State Library-Whose Definition in Steady-State, Zero-Growth and the Academic Library. ed. by Colin Steele. London: Clive Bingley, 1978, pp. 26-27.

⑱ Webb. op. cit., p. 140.

⑲ Wood, D. N. Local Acquisition and discarding policies in the light of National Library Resources and Services Aslib proceedings 29 (1), 1977, pp. 24-34.

⑳ Buckland. op. cit., p. 106.

㉑ Ibid., pp. 100-101.

㉒ Nora Rawlinson "Give them what they want" Library Journal, 1981, 106:2188-90.

㉓ Jean Barrg Molz "In the Community we trust" in Public Libraries and the challenges of the next two decades. ed. by Alphanse F. Trezza. Littleton Co. Libraries Unlimited, 1985.

㉔ Verna L. Pungitore Public Librarianship. New York: Greenwood Press, 1989, pp. 92-93.

㉕ F. A. Sharr. The Public Library: Dodo or Phoenix.

in Public Library Purpose ed. by Barry Totterdell. London: Clive Bingley, 1978, p. 138.

㉖ The Art of the Librarian. op. cit., p. 36.

㉗ Keith Barr and Maurice Line. op. cit., p. 37.

㉘ Pungitore op. cit., pp. 170-171.

㉙ A. L. A. Glossary ed. by Hearstill Young. Chicago: A. L. H., 1983, p. 217.

㉚ Dean op. cit., p. 98.

㉛ Watson op. cit., p. 23.

㉜ Massman. op. cit., p. 156.

㉝ Watson op. cit., pp. 16-17.

㉞ Dean op. cit., p. 98.

㉟ 吳明德 館藏發展 臺北漢美圖書公司 1991 **pp.** 89-122,197-226。

㊱ Dean op. cit., p. 103.

㊲ Durey op. cit., p. .

㊳ Dean op. cit., p. 99.

㊴ Ibid., p. 97.

㊵ Ibid., p. 91.

㊶ Richard W. Trueswell. A quantitative measure of user circulation requirement and its possible effect on stack thinning and multiple copy determination in American Documentation 16 Jan., 1965, pp. 20-25.

㊷ A. K. Jain Sampling and data collection methods for a book-use study. Library quarterly 39 (3) July, 1969, p. 245.

㊸ Bernard Naylor steady-state and library cooperation in steady-state, Zero-growth and the Academic Library ed. by Colin steele. London: Clive Bingley, 1978, p. 121.

㊹ Colin Steele. ed. Steady-state, Zero-growth and the academic Library. London: Clive Bingley, 1976, p. 10.

6. 圖書館參考工作是否需要理論的基礎

一、參考理論（Reference Theory）——重要的理論受到漠視

　　參考工作是圖書館從事讀者服務的第一線，其重要性質非語言文字可以輕易表達，圖書館學專家范津克（B. F. Vavrek）在寫作中甚至強調：

　　　「參考工作就是圖書館」(Reference is the Library ❶。

　　范津克所講的話，雖然是「一家之言」，却不是言過於實，圖書館參考室參考資料是否完整合用往往反映整個圖書館書藏的強弱，圖書館參考工作是否做得理想，能夠滿足讀者需求必然決定圖書館的成敗。

　　參考工作的重要已經取得圖書館界的共識，關於參考服務的著作也如雨後春筍不斷出現。值得注意的是這些文獻祇討論參考工作實務而很少對參考理論作系統的研究，英國圖書館學權威魏推克（Kenneth Whittaker）認為這是一個令人驚訝（surprising）的現象。他說：「自從魏雅爾（James I Wyer）開風氣之先倡導參考理論以來，從1930年代到現在參考實務雖然已經遭遇到很多轉變和進步，參考理論仍然站在原地打轉，趑趄不前」❷。寫到此處魏推克表現出了英國人的政治風度，他接着說，「近年來，

美國刊出了幾篇文字，印度也有一篇，英國則顯然不夠（Inade-
quate），我只發現艾莫雷(S. Emery)所發表的獨一無二論文——
「參考理論的步驟」其他英國學者的著作都好像蜻蜓點水，僅僅
碰到此一主題的邊緣。前提的范聿克對魏推克的話也有同感，他
指稱：「在參考專業館員的研討中，理論的發揚從來不是焦點，
你只要略一瀏覽近年發表的文獻，就會得到相同的結論，除了若
干大牌學人如魏雅爾（Jame I. Wyer）和羅絲庭（Samuel Roth-
stein）之外，其他學人的寫作通常都對參考理論避而不談❸。

　　魏推克和范聿克所提到的魏雅爾博士（James I. Wyer）是
筆者的先恩師，他曾任丹佛大學圖書館研究院院長，丹佛市立圖
書館館長和美國圖書館學會教育委員會主席等要職。他的名著參
考工作（Reference work）更是早年參考館員的座右銘，圖書館
學系所師生必讀之書。羅絲庭則是專攻參考工作的美國頂尖學人，
為了紀念他的卓越貢獻，凱茲（Bill Katz）和朋旣（A. Bunge）
合作編製了羅絲庭論文集(Rothstein on Reference …with
some help from friends)，這部書於1989年問世，我收藏中
有此書，亦曾詳讀，受益頗多，他多年來的寫作集中於參考服務
的範疇，對理論的發揮也是片斷的，還看不出系統的哲學思想。

　　近年來發表的專書如：

　●凱茲（Bill Kate)與弗來蕊（Ruth A. Fraley)合作編著的

　參考工作行政與管理

　●湯麥士（Diana M. Thomas）所著

有效率的參考專業館員

- 高爾芬（Phomas J. Galvin）等合著

參考服務問題

- 史帝芬斯（Rolland E. Stevens）與華爾登合著

公共圖書館參考工作

- 赫琴斯（Margaret Hutchins）所著

參考工作概論

- 史帝芬斯（Rolland E. Stevens）與史密斯（Linda C. Smith）合著

大學圖書館參考工作

等我都曾經閱讀，因爲教學需要，這些專著是我藏書中的部份。看過魏推克和范聿克的兩篇說論，我又將這些專著重行檢查，果然都離不開「如何做」的圈子，凱茲（William A. Katz）的著作西文參考工作概論（虹橋版）似乎是唯一例外，略爲涉及參考理論。基於這種情勢，懷納（Bohdan S. Wynar ）斷言 "就參考工作的理論而言，現在還沒有出現" ❹。（as to the theory of Reference there seems to be none ）懷納是參考資料專家，著作宏富，但都是有關參考工具書的選擇和評價，是否也有闡揚理論的責任呢？

二、過去缺乏研究的原因和背景

　　圖書館學文獻之中缺乏討論參考理論的文字，爲學者專家詬病，然而他們自己就是當事人，無論如何解釋他們都不能脫身事外，何以會有這種現象？

　　范聿克（Vavrek）在其博士論文——通訊與參考工作的互動（Communication and the Reference Interface）中提出了情理兼顧的解釋。

　　1.在參考資訊服務中是否需要一種概念性的結構（conceptual structure）無法肯定。

　　2.一般觀念認爲參考過程不過是能夠熟練運用印製的參考資源而已❺。

　　這篇論文是1971年在匹茲堡大學（University of Pittsburgh）提出的，在少壯派學人之中，他對參考理論的推進確實花了不少心血，也寫了好幾篇頗有深度，頗受圖書館界人士欣賞的文字。

　　就第2點而論，羅絲庭（Samuel Rothstein）是半世紀以來，美國圖書館參考工作館員群馬首是瞻的人物，他在圖書館事業的新境界（The New Dimension in Librarianship）一文中指出參考工作的職責有三❻：

　　(1)　教導讀者使用圖書和圖書館。

　　(2)　輔導選擇圖書。

　　(3)　將資訊從圖書中找出來。

　　就第一點而論，穆勒（Robert H. Muller）指稱：「研究工

作的重要，僅僅因爲它對於圖書館事業的實踐有關而已，對於目前行動和長期遠景不生影響的研究工作價值是極爲有限的」❼。基於這種理由卡洛夫斯基（Leon Carnovsky）斷定圖書館學是一種偏重行動的科學❽。（說到這裏筆者必需鄭重申明我仍然深信圖書館學是一種不斷變動、偏重行動和進入自動的科學，我認爲理論和實際有密不可分的關係。）

就魏推克（Kenneth Whittaker）看來范聿克（Vavrek）最大貢獻並不在於解釋爲甚麼學者專家不肯動筆闡揚參考理論而是他將參考理論和通訊理論結合起來❾。

三、近代學者專家所作的努力

有鑒於若干參考理論的研究都集中於詢問交談工作和參考館與讀者之間的溝通過程部份學者專家認爲這種重點的做法使得參考理論的研究受到限制，因爲參考工作的應對（Enquiry）部份雖然是參考服務的重點，但究竟不是參考工作的整體，艾莫雷（S. Emery）這位獨一無二提出參考理論研究文字的英國學人在參考理論的步驟（Steps in Reference Theory）一文中企圖以整體的觀念來看參考理論，他認爲❿：

1. 過去研究的範圍太狹窄。

2. 參考理論極爲重要，而從廣義的範圍去研究參考理論會更能顯示理論的價值。

艾莫雷（Emery）的研究指出參考工作和圖書館學其他範疇的關係，但並沒有擴充到參考理論和其他學科的關係，從這點來

看范聿克（Vavrek）就棋高一着，他至少做到將參考理論和通訊理論結合起來，換句話說，范聿克提供了參考館員和讀者之間的水乳關係。

在參考理論的步驟一文中，艾莫雷提出參考工作四大因素：

1.　提供資訊者的能力。

2.　可供運用的場所。

3.　適用的參考資源。

4.　詢問者的需求 ⓫。

換言之也就是：

1.　專業館員。

2.　圖書館。

3.　資源。

4.　使用者。

四者之間的互動關係。

對於參考服務應該做到甚麼程度，他則借用魏雅爾（Wyer）博士的：

1.　保守性的服務（conservative）

2.　開放性的服務（liberals）

3.　中庸之道的服務（moderates）

這點已是老生長談，讀者可參閱筆者所著西文參考資料。

辛克萊（Dorothy M. Sinclair）是強力主張圖書館參考專業館員應該扮演資訊提供者和資訊使用者之間的媒介人，她說爲了提升服務的品質，我們應該將注意力集中在三個焦點：

1.　我們接觸知識和資訊之點。

2. 我們接觸工具之點。

3. 我們遭遇使用者之點❸。

　　在基本立場上和筆者在圖書館學趨勢一文中所提出來的資源中心說，讀者中心說和館員中心說大體符合，不過她也進一步的說明：

1. 我們需要更多學科知識（more subject knowledge）更專業化。

2. 我們所利用的器材和工具（tools）正在加強變動，我們只要知道工具的得失，不必過份為技術困擾。

3. 我們要加強和改進與讀者之間的接觸。

　　關於第3項他特別強調，他說現在的毛病在於我們對學科比對人還有興趣。她引證巴松（Jacques Barzun）在美國的教師（Teacher in America）一書中的故事，有人問巴松：「你教那一門課」，巴松答稱「我不敎那一門課，我敎的是男生和女生」她覺得圖書館參考專業館員就應該像巴松口中所說的教師，照她看來將正確的答案提供讀者，參考館員的工作和責任還不能交差，她應該有把握這種提供的資訊必然對詢問者是有意義的。

　　上述若干專家所提出有關參考理論的議論，雖然寶貴但意見紛紜，爲了讓讀者不致有抓不到重心的感受，茲將他們的觀點，重行編組如下：

1. 目標與功能（Function）❸

(1) 取得智慧性資訊必需是大量而且多種變化的。

(2) 對於最新穎資訊的警覺。

(3) 過去資訊的目錄性控制。

(4) 主要資訊的提要的掌握。

(5) 指出資訊、文獻、人物、組織各項資料的來源及儲藏處所。

(6) 留意趨勢及未來發展。

(7) 辨識資訊的價值。

2. 讀者的研究方面 ⓮

(1) 資訊尋求者同時也是資訊製造者（producers of in-formation）。

(2) 資訊尋求者同時也是資訊消費者（consumers of in-formation）。

(3) 資訊尋求者同時也是資訊查詢者（Retrievers of in-formation）。

(4) 資訊尋求者同時也是圖書館使用及可能使用者（po-tential and actual users）。

(5) 資訊尋求者同時也是需求圖書館輔導者（requirers of Library instruction）。

3. 參考服務的分類方面 ⓯

(1) 資訊尋求者

A.圖書館使用與需求。

B.圖書館輔導。

　(2)　參考服務專業館員：

　A.詢問交談。

　B.提供資訊。

　(3)　資　源：

　A.圖書館資源。

　B.可能提供的服務。

　C.主題書目。

4.　參考服務的重點⑯：

　(1)　圖書館應有確定參考服務目標，使使用者了解圖書館可能提供的服務。

　(2)　參考書藏應有能反映使用者需求的選書標準。

　(3)　留心使用者的意見，而應儘可能修正服務辦法以配合使用者。

　(4)　參考館員的工作站要能配合使用者的流動路線。

　(5)　適量運用讀者輔導，以增進使用者的滿意度。

四、參考理論的趨勢和遠景

　　參考理論的闡述是圖書館學哲學的重心，范聿克（Vavrek）和魏推克（Whittaker）等學人以鍥而不舍的精神所發表的眞知灼見，我戲稱爲圖書館史中的「第三波」（先恩師　魏雅爾（Wryer）

博士開風氣之先提出參考理論的基礎是第一波，羅絲庭（Roth-stein)承先啓後大量著述是第二波）。在70年代裏，他們娓娓動聽的聲音好像在平靜無波的湖水中丟進了幾塊大石引發了若干反響，但是在80年代石塊已經掉到湖底，湖水又回到原來的沉寂，造成這種情勢和前述過去缺乏研究的原因和背景不同。（請參見本文「二」)在現代的環境裏，舊的哲理無法取得共識，大體而言，80 年代的「變」有下列數端：

1. 科技進步的衝擊

在70年代圖書館自動化還停留在「嘗試與錯誤」(Trial and error）時期，CD ROM等科技產品還沒有出現，80年代則進入完全自動的環境（Fully automated environment)，參考工作的運作產生了革命化的變化，舊的理論顯然落伍。

2. 參考服務範圍的拓充

圖書館的推廣服務，一直是圖書館工作的要項，「圖書館是沒有牆壁的」（Library without walls)成了圖書館的座右銘，圖書館員無不奉爲金科玉律，80年代以來圖書館服務的項目伸展到使用者生活的整體，深入家庭、學校及各項各類的社團。

3. 社會組織的劇變

近代社會正遭遇遽然的轉變，所謂「資訊時代」(informa-tion age）、「後實業社會」(post industrial society)，「知識社會」(Knowledge Society)「第三波」(The Third wave)

等名詞不斷出籠，圖書館雖然也在跟着轉變，但速度是否能夠急
起直追，是當前圖書館必需面對的課題，普寄多（Verna L.Pun-
gitore）在討論未來的公共圖書館時指出：「在 19 世紀的末期,
我們早年的領導人物所建設的圖書館成為我們現在圖書館的模式
在未來的年代裏，我們是否還能照本宣科的持續下去嗎」**⑰**？

4. 資訊問題趨向專精

雷式比（John Naisbitt）在大趨勢中說「在農業時代，競賽
是由人對抗自然，工業社會讓人對抗裝配性的自然，在資訊社會
中，人類文明史上首度出現人與其他人互相影響的競賽」**⑱**，換
言之，現代社會的主體是個人，人與其他的人不同，他的興趣和
問題也是專門和獨特的，圖書館員必需有專門知識的修養才能因
應，我們尤其應該注意參考工作館員的個別差異（individual
difference）。

5. 參考工作館員的培育問題

由於多年以來受到圖書館工作（包括參考服務）的特徵，乃
是實際運作的影響，圖書館員所關心的祇是參考資訊的順利和圓
滿的進行,而參考理論的研究照他們看來缺少生產價值（nonpro-
ductive）而漠不關心,圖書館員的培養機構及圖書館學院校也將
教育的重心放在「圖書館學是偏重行動的科學」上。但是在課程
安排上甚至很難達到目標。馬布茲（Virginia Massey-Burzio）
指控說「在學校裏儘管不斷增加電腦技術課程，但這些課永遠落
後一步，始終跟不上在學術上的實際成就」**⑲**。

6. 圖書館的教育功能

圖書館服務和教育工作是不可分割的，美國圖書館學會多年以來不斷強調教導（instruct）讀者是圖書館的職責。所謂「教導」就該會標準委員會（Standards Committee）的解釋乃是「輔導及指引讀者取得資訊而不是僅僅提供資訊」[20]。

為了達到這一目標，圖書館必需做到下列幾點：

A.　圖書館在佈置、設備及人員調派上安排成為一個良好的學習環境（Learning environment）。

B.　圖書館參考館員一定要培養自己成為資訊內容專家（content expert）不必仰賴外來支援，更不讓自己被別人看成資訊輸送者（retrieve expert）。（因此圖書館學碩士MLS可能在將來不能看成完成學業的最高學位 Terminal Degree）[21]。

C.　圖書館參考學應該將人際因素（Human element）放在優先地位，而將資源的知識放在第二 [22]。

圖書館參考理論正在發展之中，范律克（Vavrek）曾有一句名言，參考工作館員必需銘記於心，他說：參考館員必須拿出工作成效以證明參考工作是圖書館服務的雄心（guts），這也是圖書館能夠存在的原因。

附　註

❶ B. F. Vavrek. A Theory of Reference Service. Coll. Res. Libr., 29 (6) November, 1968, pp. 508-10.

❷ Kenneth Whittaker. Towards a Theory for Reference and Information Service. J. Librarianship 9 (1) January, 1977, pp. 49-50.

❸ B. F. Varvek. The Nature of Reference Librarianship. R. Q. 13 Spring, 1974, p. 213.

❹ Bohdan S. Wynar. Reference Theory: situation hopeless, but not impossible. Coll. Res. Libr. 28 (5) Sep., 1967, pp. 337-342.

❺ B. F. Varvek. Communications and the Reference Interface. P.H.D. Dissertation. University of Pittsburgh, 1971, 6-7.

❻ Authur Ray Rowland. Reference Services. Hamden, Conn. The Shoe String press, Inc., 1964, pp. 37-38.

❼ Robert H. Muller. The Research mind in Library Education and practice. Library Journal March 15, 1967, p. 1126.

❽ Leon Carnovsky. Publishing the results of Research in Librarianship. Library Treads July, 1964, p. 128.

❾ Whittaker op. cit., p. 56.

❿ Ibid., pp. 56-7.

⓫ Richard Emery. Steps in reference Theory. Lib. Ass. Rec. 72 (3) March, 1970.

⓬ Dorothy M. Sinclair. The Next Ten Years of Reference Service. A. L. A. Bulletin Jan., 1968, p. 59.

⑬ Frederick Holler. Toward a Reference Thaeory. R. Q. 14 (Summer, 1975), pp. 301-309.

⑭ Whittaker. op. cit., p. 58.

⑮ 有關資料可參考

J. Gray and B. Barry. Scientific Information. O.U. P., 1975.

K. McGarry. Knowledge, Communication and Librarians. Bingley, 1975.

D. J. de. S. Price. Little Science, Big Science. Columbia University press, 1963.

⑯ Robert Klassen. Standards for Library Service.Library Trends Winter, 1983, p. 423.

⑰ Verna L. Pungitore. Public Librarianship. New York Greenwood Press, 1989, pp. 197-8.

⑱ John Naisbitt 著，黃明堅譯　大趨勢　臺北經濟日報社　民國72 年　p. 24。

⑲ Ilene F. Rockman ed. Reference Librarian of the Futrue. Reference Services Review. V. 19, No. 1, Spring, 1991, p. 73.

⑳ Anita R. Schiller. Reference Service: Instruction or Information The Library quarterly, Jan., 1965, p. 53.

㉑ Ilene F. Rockman. op. cit., p. 73.

㉒ Bernard Vavrek. The Nature of Reference Librarianship. R. Q. 13 Spring, 1974, p. 215.

㉓ Ibid., p. 216.

7. 前瞻——慶祝國立臺灣大學 圖書館學系成立三十週年 感言

一、前 瞻

「前瞻」，區區兩個大字，却具有極不平凡的意義！中國圖書館學會第三十九屆年會，適逢建國八十週年和國立臺灣大學圖書館學系建立三十週年兩大盛事，為了籌劃慶祝事宜，年會籌備委員會召集人章以鼎主任召開了多次會議，第一次會議討論日期、地點、主講貴賓及大會的主要論題（Theme）。我應邀列席時發言，希望能和ASIS 1986年年會比美，提出有氣魄、抱負，能反映成就、着眼趨勢的號召，最好能在「展望未來」（Looking ahead）的範圍設想，經過委員會仔細研討結果，採用了盧荷生教授的建議——「前瞻」。

「三十而立」，國立臺灣大學圖書館學系成立三十年來成就驚人，有目共睹，展望未來，前途似錦。「前瞻」一詞涵義深遠，包羅萬千，既能表揚過去「自強不息」的作為（否則怎麼會有前瞻？）又能顯示「有厚望焉」的信心，個人謹代表學會將「前瞻」兩個字贈送與優秀的臺大圖書館學系全體師生作為我們的生日禮

物，並加上眞誠的祝福。

二、簡介我國「第一高等學府」的圖書館學系所

1. 成立時間

(1)國立臺灣大學圖書館學系　民國50年
(2)國立臺灣大學圖書館學研究所
- 碩士班　民國69年
- 博士班　民國78年

2. 教學目標

根據王振鵠敎授報導[1]：

本系建系所秉持之大原則爲：培養專業人才，服務社會人群。在大學本部敎學之一般目標爲：

第一、健全學生本國與外國語文及文化的基本素養。

第二、輔導修習專門學科知識。

第三、培養對圖書與圖書館一般認識及服務精神。

第四、訓練各類圖書資料使用與服務之技巧。

第五、研習推廣圖書館服務之技術、方法。

第六、利用圖書館爲橋樑，以促進文化、科學、研究與休閒活動之普及。

研究所敎學之一般目標爲：

第一、提高圖書館學研究之水準——藉高深的課程，嚴格的

研究方法與工具，及研究面的擴展，逐漸增進對圖書館學研究的深度。

第二、培養圖書館學有關科目所需師資——在科技進步日新月異的環境中，各級學校及各行業均亟需圖書館資料人員，用以應付面臨之競爭。因之，亦牽連造成優秀圖書館學師資欠缺的情形。

第三、造就圖書館界中堅人才——本校、師大、輔仁、淡江、世新等校大學部多年來均培育圖書館基層工作人員，教學多側重於圖書館基本技能的鍛鍊，而研究所教育將偏重於管理、研究、比較判斷，與設計創新的學識，以期研究生畢業後成為圖書館中堅人員或領導、研究人才。

第四、藉高深研究活動來建立和推廣圖書館學之學術性與獨特性。

3. 師　資

根據民國80年 5 月編印的國立臺灣大學圖書館學研究所研究生手冊所刊載資料❷：

● 教授兼系所主任：

李德竹　美國山慈學院化學學士

美國匹茲堡大學圖書館學與資訊科學

研究所碩士及超碩士

美國匹茲堡大學圖書館學與資訊科學

研究所哲學博士

● 教授：

周駿富　國立臺灣大學文學士

國立臺灣師範大學國文研究所文學碩士

胡述兆　國立臺灣大學法學士

國立政治大學政治學碩士

美國哥倫比亞大學美國政府學碩士

美國匹茲堡大學、維蘭諾瓦大學、佛州州立大學

等校圖書館學碩士、超碩士及高級碩士

美國佛羅里達州立大學圖書館學與資訊科學研究

院哲學博士

潘美月　國立臺灣大學中國文學系文學士

國立臺灣大學中國文學研究所碩士

● 兼任教授：

王振鵠　美國汎德比大學畢保德研究所圖書館學碩士

美國俄亥俄州大學榮譽法學博士

謝祥圻　美國蘭塞拉爾理工學院計算機科學與管理科學碩

士

昌彼得　國立中央大學歷史學系文學士

李　瞻　國立政治大學文學士

國立政治大學新聞學碩士

美國史坦福大學傳播學研究

沈寶環　美國丹佛大學圖書館學博士

美國丹佛大學教育學博士

范承源　淡江文理學院文學士

美國杜克大學哲學博士

楊鍵樵　國立交通大學電子系工學士
　　　　國立交通大學電子研究所碩士
　　　　美國西北大學電子計算機學博士
謝清俊　國立臺灣大學電機系工學士
　　　　國立交通大學電子研究所碩士
　　　　國立交通大學電子研究所博士

● 副教授：
吳明德　國立臺灣大學圖書館學系文學士
　　　　美國汎德比大學畢保德學院圖書館學碩士
　　　　美國賓州州立大學哲學博士
陳雪華　國立臺灣大學圖書館系文學士
　　　　美國喬治亞大學教育媒體與圖書館學碩士
　　　　美國喬治亞大學高等教育博士
鄭雪玫　國立臺灣大學法學士
　　　　美國卓克索大學圖書館碩士
盧秀菊　國立臺灣大學歷史學系文學士
　　　　美國芝加哥大學歷史學碩士
　　　　美國芝加哥大學圖書館碩士

● 兼任副教授：
陳興夏　國立臺灣大學外國語文學系文學士
　　　　美國北卡羅來納大學圖書館學碩士
莊芳榮　國立臺灣大學圖書館學系文學士
　　　　中國文化大學碩士
　　　　中國文化大學史學研究所文學博士

余紹逖　中原大學工業工程系工學士

　　　　美國馬里蘭大學資訊管理學博士

　　　　美國喬治華盛頓大學資訊管理學博士

裴錦天　國立臺灣大學圖書館學系文學士

　　　　美國聖荷西大學圖書館學碩士

　　　　美國喬治亞大學教育學博士

● 講師：

林少薰　國立臺灣大學外國語文學系文學士

　　　　美國肯特州立大學圖書館學碩士

王文泉　國立臺灣大學法學士

　　　　美國汎德比大學畢保德學院圖書館學碩士

● 兼任講師：

廖又生　東吳大學法學士

　　　　國立交通大學企管研究所碩士

　　　　國立臺灣大學圖書館學研究所碩士

　　　　國立臺灣大學商學研究所博士班肄業

蔡明月　淡江大學教育資料科學學系文學士

　　　　美國伊利諾大學圖書館及資訊科學研究所碩士

　　　　美國伊利諾大學圖書館及資訊科學超碩士

● 助教：

周奕婷　國立臺灣大學圖書館學系文學士

張文熙　國立臺灣大學圖書館學系文學士

林資香　國立臺灣大學圖書館學系文學士

4. 課　程

(1)　大學部：

79學年度開始實施教育部新修訂之圖書館學系必修課程，其科目表如表一❸：

國立臺灣大學圖書館學系必修課程如表二：

(2)　碩士班

本所規定碩士班應修學分爲24學分，其中10學分爲必修，14學分爲選修，各科目名稱和學分數如表三：

由於非圖書館學系畢業的研究生，缺乏圖書館的基本知識，在選讀這些較高級的專業課程前，必須先補修六門有關圖書館學的基本課程（共18學分），如表四：

這些補修學分，均屬大學部的課程範圍，均以70分爲及格。不過它們雖屬必修性質，但不能算入碩士學位應修的24學分內，則不待言。

(3)　博士班

本所規定博士班應修18學分（博士論文12學分不在其內），其中因論文或研究需要而必須至外系研究所博、碩士班或本所碩士班選課者，以不超過4學分爲限。個別研究則以選修一科爲限。上述情形均須經指導教授和所長同意後始可選修。博士班研究生於第一學年結束後得選定論文指導教授。

表一 文學院圖書館學系、教育資料科學學系

教育目標：培育圖書館學與資訊科學專業人才

必修科目表：

中　文 　　　科目名稱 英　文	規定 學分	第　學　一　年		第　學　二　年		第　學　三　年		第　學　四　年		備　註
		上	下	上	下	上	下	上	下	
圖 書 館 學 導 論 Introduction to Library Science	2	2								
資 訊 科 學 導 論 Introduction to Information Science	2		2							
中 文 參 考 資 料 Chinese Refer- ence Sources	4	2	2							
西 文 參 考 資 料 Western Refer- ence Sources	4			2	2					
圖書分類編目㈠ Cataloging and Classification I	6			3	3					
圖書分類編目㈡ Cataloging and Classification II	6					3	3			
電子計算機概論 Introduction to Computer Science	4	2	2							

課程										備註
目　　錄　　學 Bibliography	4			2	2					
非　書　資　料 Non–Book Materials	4			2	2					含「視聽資料管理」
圖書館資料採訪 Selection a Acquisition of Library	4					2	2			
圖　書　館　管　理 Library management	4							2	2	
圖　書　館　實　習 Library Field Work	0							0	0	
圖　書　館　自　動　化 Library Automation	4							2	2	
合　　　　　計	48	6	6	9	9	5	5	4	4	

※修訂小組由臺大圖書館學系擔任召集學系。

5. 碩士論文

歷年碩士論文一覽，如表六：

6. 系所出版書刊

(1) 胡述兆主編，圖書館與資訊科學教育研討會論文集（英文），（國立臺灣大學圖書館學系所，1986）。

(2) 國立臺灣大學成立廿週年紀念特刊，民國七十年。

(3) 圖書館學刊，1 — 6 期，民國56 年。

表二

79學年度實施		78學年度前實施		
新　修　訂		原　　　訂		備　　　註
科目名稱	學分	科目名稱	學分	
普通心理學	3	普通心理學	3	
理則學	3	理則學	3	
社會學	3			新增
第二外國語（德法西日擇一）	12	第二外國語（德法西日擇一）	12	
傳播學概論	2	大衆傳播	2	
研究方法與論文寫作	2	研究方法與論文寫作	2	2
三類主要文獻之一（人文、社會、科技）	4	三類主要文獻之一（人文、社會、科技）	4	
各型圖書館之一（大學、公共、兒童、專門等）	3	各型圖書館之一（大學、公共、學校、專門等）	3	學校圖書館改爲選修
圖書館統計學	3			新增
圖書館學專題	2	圖書館學專題	2	
英文打字	1	英文打字	1	
		圖書館史	2	改爲選修
		圖書館作業評估	2	改爲選修
合　　　計	38	合　　　計	36	

*系必修課程修訂主要項目爲增加社會學及圖書館統計學二科各三學分。又圖書館史及圖書館作業評估由必修改爲選修，學校圖書館改爲兒童圖書館。

表三

硕士班课程一覽表

科 目 名 稱	學分	必修	選修	備　　　註
碩士論文	6	x		
研究方法	2	x		
圖書館行政研討	2	x		
讀者服務研討	2	x		
技術服務研討	2	x		
資訊科學研討	2	x		
圖書館教育	2		x	
中文電腦專題研討	3		x	
中國傳記文獻	2		x	
古書整校	2		x	
中國古典參考工具書	2		x	
書目計量學	2		x	
智能財產權專題研究	2		x	
大學圖書館研討	2		x	
論文寫作	2		x	
視聽教育研究	2		x	
圖書館資訊系統專題	2		x	

電腦中心管理	2		x	大學部四年級可
文化中心管理	2		x	選修
媒體中心管理	2		x	〃
館藏規劃	2		x	〃
當代圖書館問題	2		x	〃
中文電腦檢字	2		x	〃
索引與摘要	2		x	〃
資訊科學教育	2		x	〃
資訊管理	3		x	〃
資訊儲存與檢索	3		x	〃
資料庫管理系統	3		x	〃
線上資訊檢索	3		x	〃
索引典結構	2		x	〃
電子計算機專題	2		x	〃
電子計算機資料結構	2		x	〃
圖書館資源分享	2		x	〃
管理資訊系統	2		x	〃
行為與人際關係	2		x	〃
古籍編目	2		x	〃
中國印刷史研究	2		x	〃
中國版本學研究	2		x	〃
圖書館建築	2		x	〃
學術圖書館研討	2		x	〃
公共圖書館研討	2		x	〃
圖書館行銷	2		x	〃

表四

圖書分類與編目	（ 6 學分 ）
中文參考資料	（ 4 學分 ）
西文參考資料	（ 4 學分 ）
圖書資料徵集	（ 2 學分 ）
圖書館行政	（ 2 學分 ）

表五 博士班課程一覽表

科　目　名　稱	學分		必修	備　　註
博士論文	12	x		
圖書館哲學	2		x	
圖書館教育研討	2		x	
比較圖書館學研討	2		x	
圖書館管理專題研究	2		x	
圖書館學研究趨勢	2		x	
圖書館與資訊社會	2		x	
圖書館與資訊工業專題研究	2		x	
分類理論研究	2		x	
視聽教育理論	2		x	
視聽資料專題研究	2		x	

續前頁表

資訊科學專題研究	2	x	
資訊政策	2	x	
資訊管理研討	2	x	
大眾傳播與圖書館服務	2	x	
中國書目文獻研討	2	x	
中國目錄學專題研究	2	x	
中國叢書學研討	2	x	
中國版本學專題研究	2	x	
中國印刷史專題研究	2	x	
印刷與出版研討	2	x	
圖書資訊法規研討	2	x	
國家圖書館研討	2	x	
研究方法	2	x	與碩士班合開
中文電腦專題研討	3	x	〃
書目計量學	2	x	〃
智能財產權專題研究	2	x	〃
個別研究	2	x	限一次

7. 學生刊物

(1) 系圖書館學會，書府 1-12 期。

(2) 美國資訊學會臺北學生分會，會刊 1-4 期。

8. 教授個別出版品

請檢索圖書館學文獻目錄（資料太多，不及列舉）。

9. 學生專書

(1) 圖書館建築趨勢，張鼎鍾教授主編，三民書局，民國79年，撰稿研究生：黃紫娟、林金枝、曾美惠、陳雅文、呂姿玲、洪玉珠、張友玲、張慶仁、張郁齡、黃潔碧、蔡佳蓉、林慶弧、洪王徽恢。

(2) 鄉鎮圖書館的理論與實務，沈寶環教授主編，臺灣書店，民國78年，撰稿研究生：吳麗麗、彭盛龍、張郁齡、盛美雲、林慶弧、呂姿玲、林金枝、蔡佳蓉、周業仁、張正爲。

(3) 圖書館讀者服務，沈寶環教授主編，臺灣學生書局，民國80年，撰稿研究生：周曉雯、林荷娟、張安明、林巧敏、朱碧靜、吳慧中、歐陽芬、魏韻純、周利莉、張珏旋、鄭景文。

10. 設　備❹

(1) 實習圖書館

①幹部

助教	周奕婷
館長	林串良（大三學生）
副館長	楊曉雯（大三學生）
採訪組組長	王姝媛（大三學生）

表六　國立臺灣大學圖書館學研究所歷年碩士論文清單

題　　　　名	指導教授	作　　者	出版年月
1. 臺北市國民中學圖書館調查研究	沈　寶　環	李　文　絜	71.12
2. 中小型公共圖書館建築設計之研究	王　振　鵠	俞　芹　芳	72
3. 鐵琴銅劍樓藏書研討	昌　彼　得	藍　文　欽	73
4. 建立臺灣地區中文圖書線上合作編目系統之研究	何　光　國	陳　為　賢	73.1
5. 大學圖書館員的教員地位之研究	沈　寶　環	毛　慶　禎	73.6
6. 明代書坊之研究	昌　彼　得	陳　昭　珍	73.6
7. 國立臺灣大學工學院聯合圖書室期刊使用研究	胡　述　兆	王　梅　玲	74
8. 英美編目規則第二版釐訂原理之探討	沈　寶　環	張　慧　珠	74
9. 大學學習資源中心組織與人員規劃之研究	吳　明　德	童　敏　惠	74
10. 國立臺灣大學經濟系、所西文館藏評鑑之研究	王　振　鵠	羅　禮　曼	74.5
11. 我國聯合目錄編製之研究	王　振　鵠	彭　　慰	74.6

續前頁表

12.圖書館學系實習課程探討	王　振　鵠	林　淑　芬	74.6
13.晚清藏書家繆荃孫研究	潘　美　月	張　碧　惠	74.7
14.學習理論與圖書館使用指導	沈　寶　環	劉　瑞　蘭	74.7
15.中韓兩國古活字印刷技術之比較研究	昌　彼　得	曹　炯　鎭	75
16.我國大學圖書館館員工作滿意程度調查研究	吳　明　德	徐　金　芬	75
17.我國大學購書費分配各學系方式之研究	吳　明　德	韓　竹　平	75
18.國立臺灣大學圖書館分散管理機能探討	沈　寶　環	黃　純　敏	75
19.多工中文輸入系統研究	謝　祥　圻	楊　士　林	75
20.摩斯一馬柯夫模式的研究：國立臺灣大學圖書館學系暨研究所實習圖書流通之個案調查	李　德　竹	郭　堯　斌	75
21.我國圖書館學系所必修課程之探討	胡　述　兆	黃　慕　萱	75.6
22.范氏天一閣研究（上）（下）	潘　美　月	蔡　佩　玲	75.6

續前頁表

23.我國大學圖書館館員繼續教育之研究	胡 述 兆	黃 麗 虹	75.7
24.美英兩國國家圖書館體制與功能之比較研究	陳　　豫	李 淑 珍	76
25.我國人文社會及科技館際合作組織館際互借現況及問題之研究	沈 寶 環	吳 淑 芬	76.1
26.祁承㸁及澹生堂藏書研究	潘 美 月	嚴 倚 帆	76.6
27.臺北市國民中學圖書館（室）工作人員工作態度調查研究	吳 明 德	黃 莉 玲	76.7
28.清代藏書家錢曾研究	潘 美 月	湯　　絢	76.7
29.公共圖書館讀者與非讀者特質之分析──臺北市民生社區抽樣調查	吳 明 德	曾 淑 賢	76.8
30.歷代佛經目錄初探	昌 彼 得	河 惠 丁	77.6
31.大學圖書館內部空間配置之研究	胡 述 兆	謝 寶 煖	77.7
32.晚清戲劇小說繫年目及統計分析	楊 家 駱	林 佩 慧	77.6
33.我國臺灣地區國際百科	李 德 竹	莊 道 明	77.1

續前頁表

線上資訊檢索服務調查之研究			
34.我國臺灣地區圖書館探訪自動化現況與需求研究	李 德 竹	鄭 玉 玲	77.1
35.國立臺灣大學圖書館資訊網路之規劃研究	李 德 竹	桂 楚 祥	77.7
36.清代藏書家張金吾研究	潘 美 月	王 珠 美	77.7
37.以書目計量學方法探討專題通粹服務的發展	李 德 竹	唐 秀 珠	77.7
38.資訊犯罪及其立法政策之研究	沈 寶 環	廖 又 生	77.7
39.唐代佛書分類與現代佛學圖書分類之比較研究	潘 美 月	莊 耀 輝	78.5
40.我國圖書館資訊網路館際互借應用層通訊作業模式建構之研究	楊 鍵 樵	蘇 倫 伸	78.6
41.臺灣地區公私立大學圖書館人事管理制度之比較研究	沈 寶 環	林 文 睿	78.6
42.錢謙益藏書研究	潘 美 月	簡 秀 娟	78.5
43.美國圖書館學會與英國	胡 述 兆	陳 敏 珍	78.6

續前頁表

圖書館學會對圖書館事業發展之比較研究			
44.我國大學圖書館女性館員工作類型之研究	李 德 竹	張 素 娟	78.6
45.我國科技性專門圖書館與其母機構關係之研究	盧 秀 菊	許 令 華	78.6
46.高麗再雕大藏目錄之研究	昌 彼 得	鄭 正 姬	79.5
47.國立臺灣大學工學院與文學院教師資訊尋求行爲之調查研究	李 德 竹	陳 雅 文	79.6
48.臺灣地區中文善本圖書蟲害防治之研究	李 德 竹	洪王徽恢	79.6
49.我國圖書館學系科畢業生就業情形之研究	吳 明 德	林 秋 燕	79.6
50.我國臺灣地區鄉鎮圖書館的發展沿革現況與經營模式之研究	胡 述 兆	林 慶 弧	79.6
51.我國國立大學圖書館館員對組織溝通滿意度之調查研究	盧 秀 菊	俞 依 秀	79.12
52.我國大學圖書館法律館	鄭 雪 玫	張 郁 齡	80.5

續前頁表

藏支援教授及博碩士班研究生學術研究之探討			
53.我國臺灣地區鄉鎮圖書館內部空間配置之研究	沈寶環	林金枝	80.5
54.我國立法院圖書資料室服務對立法需求之研究	盧秀菊	張正爲	80.5
55.公共圖書館對視覺障礙者服務之研究	鄭雪玫	呂姿玲	80.6
56.圖書維護之紙質酸化及保存環境問題之研究	胡述兆	盛美雲	80.6
57.我國大學圖書館線上公用目錄使用者利用指導方式之研究	吳明德	廖育珮	80.6
58.國立臺灣大學工學院大學部學生利用圖書館調查	吳明德	吳麗麗	80.6
59.臺灣地區公共圖書館館員遴用制度之研究	王振鵠	彭盛龍	80.6
60.美國大學圖書館自動化人力資源重組之研究	李德竹	廖秀滿	80.6
61.我國臺灣地區六所學術圖書館文學及語言類大	陳雪華	蔡佳蓉	80.6

續前頁表

陸出版品館藏特性之分析			
62.我國臺灣地區中文線上資訊檢索系統檢索方法與操作控制之研究	楊 鍵 樵	曾 美 惠	80.6

編目組組長　　　林淑君（大三學生）

參考組組長　　　黃莆雯（大三學生）

期刊組組長　　　謝莉芳（大三學生）

推廣組組長　　　郭家芳（大三學生）

閱典組組長　　　劉美儀（大三學生）

②藏書

圖書12,680 冊（全部爲中西文圖書館學文獻）

期刊學報

● 中、日、韓文期刊119 種（其中圖書館學59種）。

● 西文期刊279 種（絕大部份爲圖書資訊科學學報）。

　訂閱179 種（全部爲圖書資訊學學報）。

③借書規則

大學部　　5 冊（借期1 月，得續借）

研究生　　15冊（借期1 月，得續借）

助　教　　15冊（借期1 月，得續借）

④開館時間

星期一至星期五，上午8 時至下午9 時。

星期六：上午 8 時至中午12時。

(2)　資訊室

設備：IBM　PC/AT、PC/XT、JX、5550 個人電腦、麥金塔及 VAX 終端機等共14台，印表機 8 台，以及 dBASE Ⅳ、Lotus 1-2-3 、 wordstar 、倚天中文系統、PE Ⅱ 等軟體。另有電腦概論、操作手冊、程式設計等中西文書籍百餘冊，可供同學使用。

(3)　視聽室

設備：S-VHS 錄放影機、Beta 錄放影機、V8 錄放影機、8 釐米攝影機、S-VHS 攝影機 、投影機、實物投影機、幻燈機、視聽機、翻照檯、幻燈捲片放映機、同步錄音機、錄音座、混音器、單眼相機、各式鏡頭、特效機、字幕機、錄影帶編輯設備、8 釐米電影機、16釐米電影機等。

(4)　編目室

設備：·實習用書
　　　·PC
　　　·光碟機
　　　·中英日韓文編目工作站
　　　·自動化系統
　　　·大螢幕投影設備

(5)　打字室

設備：打字機33台。

三、圖書館專業教育的轉變

自從惠勒（Joseph L. Wheeler）於 1946 年發表他的名著〔圖書館教育的改進和問題〕以來，圖書館教育一直是學者專家最重視的課題。

1986年適逢美國圖書館教育一百年慶祝，爲了紀念美國專門圖書館學會（Special Libraries Association）對全美國圖書館學研究院院長發出問卷，問卷只有一個問題：

在你的教學經驗中，你認爲圖書館專業教育最主要的轉變是甚麼？

這些身負教育重責的教育家們的反應極爲熱烈。「專門圖書館學報」（Special Libraries）於當年秋季出版專號，定名爲：〔圖書館教育之變——院長們的話〕（Changes in Library Education：The Deans Reply）❺。

1. 且聽院長們怎麼說

(1)凱思（Cosette N. Kies）（Northern Illinois University）

「過去圖書館教育只重視實際運作（Practice），現在重心已經轉移到理論（Theory）的追求，在課室中對「爲甚麼」（why）的關心遠超過「怎樣做」（how）。圖書館學師生熱衷於研究工作，以上兩項觀察足以證明圖書館專業已進入成熟階段」。

(2)雷譟（James D. Ramer）(University of Alabama)

「當我初進入圖書館界，我的研究範圍是印刷術的歷史，現在最風行的是微電腦和錄影碟，我們的注意力由『過去』轉移到『未來』，而『現在』則在逐漸的消失（Increasingly evavescent）」。

(3)白雲（Robert Berring）(U. C. Berkeley)

「圖書館教育必須包括新技術，但我們仍然要把焦點放在資訊組合的服務和觀念上。

當『圖書館員』這個名詞慢慢為資訊經理（Information Manager）代替的時候，圖書館教育必須堅守陣地，否則我們畢業生的工作機會都會被企業管理和電腦技術人員搶去了。」

(4)傑克遜（Miles M. Jackson）(University of Hawaii)

「我們的專業有必要與遠距離通訊，管理科學和行為科學連接起來，這是未來幾十年圖書館學教育的遠景。」

(5)華納（Robert M. Warner）(University of Michigan)

「我們在1951年首先開始電腦處理資訊課程，其他技術的引進會刺激不斷的變動，但是讀者服務的傳統應該屹立不搖。」

(6)波茲（Martha Boaz）(University of South California)

「專業組織如 SLA，IFLA，ALA 合作無間，彼此都有利圖書

館學系所應該建立國際化教育計畫（International educational programs）。我們必須要培養『大家都生活在一個世界裏』的共識。」

　　(7)羅賓卡特（Jane Robbins-Carter）（University of Wisconsin-Madison）

　　「圖書館教育的核心是服務，個人認爲最戲劇化的事件不是變，而是在『變』中，圖書館教育仍然能夠保持服務的各項要件作爲教學計畫的重點。」

　　(8)丹尼爾（Evelyn H. Daniel）（University of North Carolina at Chapel Hill）

　　「圖書館教育主要轉變有三：

　　①圖書／資訊學廣博觀念的形成，資訊管理並不限於圖書館內的範圍。

　　②資訊科學發展爲研究項目，同時形成我們專業的學科基礎。

　　③電腦和遠距離通訊參與圖書館學課程之中。」

　　(9)威默斯（F. William Summers）（Florida University）

　　「圖書館專業從人力導向轉變爲技術導向，圖書館教育從低費用轉變爲高費用。」

　　(10)羅賓斯基（George S. Robinski）（State University of New York at Buffalo）

「圖書館教育所受到最大衝擊是非書資料和電腦的出現以及
資訊科學進入圖書館學系所課程。」

（筆者按：專門圖書館學報所收集的「院長的話」共十八項，因受篇幅
限制，刪除重複意見，因此共列舉十項。）

2. 專家學者的議論

(1)陳欽智博士（Professor and Associate Dean, Sim-
mons College）。

為了加強圖書館的重要性和在現代資訊環境中所扮演的角色，
陳博士認為專業教育必須轉移重點以配合下列趨勢❻：

①從圖書館導向轉變到資訊導向。

②圖書館從一個機構（Institution）轉移成為資訊供應者，
圖書館員轉變為熟練的資訊專家，在與資訊有關的環境裏活動。

③運用新技術使圖書館自動化，更進一步的加強取得圖書館
內部所不能供應的資訊。

④從圖書館網路取得資訊，轉移到區域網路（Area Net
working），增加取得資訊的來源。

(2)李華偉館長（Dean of University Libraries, Ohio
University）

教育未來的圖書館專業人員，李博士指出教育目的必須能夠
培養下列能力（Competencies）❼：

①圖書館學基礎（Foundations），（包括資訊科學）。

②學科專長以及語文能力

③人際關係溝通

④資訊技術以及運用

⑤管理科學理論及實踐

⑥商業知識及推銷術（Marketing）

⑦知道如何爭取經費支援

(3)王振鵠教授（國立臺灣師範大學教授）

「圖書館工作是一項公衆服務，在教育內涵上，如何奠定專業信念，貫注專業精神，培養其應有的服務觀念與態度，以適應未來圖書館工作的需要，這是圖書館教育成敗之一重要因素。其次，在教學內容上，學科專長、語文基礎以及圖書館技能三者如何兼籌並顧，相輔相成，也是有待研究改善之一重點，尤其目前政府大力推展資訊工業，而各界人士對於資訊服務之需求日益迫切，今後在教學內容方面如何因應當前的情勢亦應考慮」❽。

(4)胡述兆教授（國立臺灣大學教授）

「爲了因應在資訊時代技術的重大轉變，自1970年代以來世界各處的圖書館採取多樣措施以適應新的局勢，因此也爲了圖書館教育的若干調整，如何使課程現代化以符合資訊社會的需求以及教育學生讓他們有足夠能力接受突飛猛進的新技術，是圖書館教育家的主要責任」❾。

（筆者按：胡教授原著爲英文，筆者譯爲中文。）

⑸史提華特（Robert D. Stueart）（Simmons College）

史提華特博士是西蒙斯大學圖書館與資訊科學院的院長，前述的〔院長們的話〕（Deans Reoly）並沒有將他的意見收集在內，在〔偉大的期待〕（Great Expectations）一文中，他說圖書館與資訊科學教育已經走到了十字路口，究竟何去何從必須未雨綢繆早做計畫，現在絕大多數的圖書館與資訊科學課程都企圖將重要的項目和不重要的項目分開，同時設計和實行若干教學計畫以造就圖書館員和資訊經理人才，在未來的社會裏擔任領導的角色，專業教育的目的是希望在理論與實際之間取得平衡❿。

⑹賀利（Edward G. Holly）（University of North Carolina at Chapel Hill）。

賀列，是前任北卡羅來那州立大學圖書館學院院長，這位曾在1985年前來我國參與臺大主辦的「圖書館學與資訊科學教育國際研討會」的學人，認爲圖書館專業教育要保持夠水準的「質」，一定先要擁有足夠的「量」。他在提出的論文：「安定與變化—美國圖書館與資訊科學教育（1985）」中指稱⓫：

> 沒有任何圖書館學院校聘用教員人數在10名以下，學生但數在 100 名以下，經費在美金40萬元以下的院系，能夠提供『質』的教育。

這句話是他在美國圖書館協會1982年在丹佛開年會時提出。1985 年臺北之會他再度提出，無非強調他的信念而已 。 南尼爾（Don Lanier）和馬沙（Nancy C. Messer）在「電子導向社會中

的圖書館教育」一文證實了這句話，他們說：「賀列對於只有專
職教席 5 至6名而能得到認可（accreditation相當於我國的立案），
感覺到無比的憤怒❷。」

(7)南尼爾（Lanier）和馬沙（Messer）

前述的南尼爾和馬沙是圖書館技術服務專家，他們根據自己
多年的經驗，認為技術一定要和行為科學結合，專業使命要以科
技整合的方式進行。目前最重要的工作是圖書館學教育家，和從
事圖書館實際運作的專業人員（Practicing Librarians）攜手合
作，在服務技術和媒體等方面深入研究，21世紀即將來臨，這些
問題是必然會遭遇到的❸。

(8)郭謙（Manfred Kochen）

郭謙是Michigan University 教授也是技術和通訊學專家，
在美國資訊學會（ASIS）會報的論文中，他提出技術發展的歷史
可以劃分為三個階段❹。
①使我們能夠做我們現在所做的事，更經濟、更快、更好。
②使我們能試做過去不能做的事。
③轉變我們生活的方式。
技術問題是圖書館教育的重點之一，本文前述中一再提出，
這是我為甚麼引用郭謙意見的原因。安曼(Mohammed M. Aman)
院長（University of Wisconsin-Milwaukee）指稱，新的技術迫
使圖書館學教育家改變了他們的教學方法❺。

　　⑼白曼（Toni Carbo Bearman）

　　白曼是圖書館資訊界極有份量的人物，曾任全美圖書館與資訊科學委員會（National Commission on Libraries and Information Science）的執行長。

　　所謂資訊本來有三個層次：

　　第一層次，主題導向（Subject-Oriented.）。

　　負責以主題爲基礎的服務，例如化學摘要學報（Chemical Abstract）。

　　第二層次，使命導向（Mission-Oriented）。

　　資訊服務以支持使命（或任務）爲主。例如將太空人送到月亮。

　　第三層次，問題導向（Problem-Oriented）。

　　資訊服務以解決問題爲目標。例如：環保、能源等問題，這是我們資訊服務目前的處境。

　　白曼認爲我們即將進入——

　　第四層次，個人導向（Individual-Oriented）。

　　未來的趨勢是，我們需要設計及將產品重行套裝（Repackage）以因應個人，無論是在家中、店舖和工廠之中的需求。

　　由於這種走向，圖書館和資訊敎育必然要轉移到一個新的方向⓰。

　　⑽哈佛威廉思（Peter Havard-Williams）

　　哈佛威廉思是英國著名學人，現任 Loughborough University 的圖書館資訊科學系主任，他竭力主張圖書館學院校要採取平均發展，也就是平衡的課程設計，他說：「我們當然要注意資訊技術，但是我們卻不應該漠視書籍，今天的困擾是我們好像有意完全抹殺歷史，而忘記了過去發生的事實，傳授電腦技術固然必要，保存和發揚固有文化更爲重要，圖書館將要永遠留在人間，我們仍然在積極的使用印製品，儘管運用方式可能有所轉變。英國有使用圖書幾百年的經驗，西方若干國家有近一千年的經驗，東方的歷史⓱更爲悠久。」我覺得我國發明印刷術，推出蔡侯紙，不是 Peter 輕輕一句話就可以帶過的。

四、資訊時代帶來的衝擊

1. 資訊社會的出現

21世紀是資訊世紀，托佛勒（Alvin Toffler）在〔第三波〕（The Third Wave）中指出「第三波揭開了一個新紀元———一個屬於多媒體的時代，新科技帶動了新的資訊系統」⓲，「同時我們所面對的並不只是一科技革命，而是一個全新文明的到來」⓳。所謂新文明就是一種新的生活方式。方定（Hubert Fondin）解釋說：「資訊將要和水、電、瓦斯一樣成爲公共設施，資訊對於現代生活是不可少的，而且要能夠廣泛的隨時隨地備用」⓴。

2. 圖書館事業首當其衝

資訊社會雖然並沒有使蘭開斯特（W. Lancaster）的「無紙

資訊系統」預測實現，但卻對圖書館事業影響深遠，〔大趨勢〕(Megatrends）的作者奈斯比（John Naisbitt）將歷史分類為三個時期：

(1)　在農業時代，競賽由人對抗自然。

(2)　工業社會讓人對抗裝配式的自然。

(3)　在資訊社會中，人類文明史上首度出現個人與他人互相影響的競賽❹，「其結果是人們漸漸開始擺脫對機構的信賴，學習信任和依靠自己。」這就是前述白曼（Bearman）所主張的個人導向（Individual-Oriented）。因應個人需求為主的資訊，小館（尤其指若干大圖書館的分館）責任日益增強，逐漸成為圖書館事業服務的重點和主力。諾霖（Sara Laughlin）在「小型公共圖書館」（Small Public Libraries）一文中曾指出❷：

①小館之間必須合作。

②近代技術要求小型圖書館行政採取彈性經營，因此必須要有放棄部份自主權力的毅力，以謀求資源共享。

③圖書經費部份由採購資料轉移到取得資訊（Assess）。

④資料庫逐漸取代了若干印製的參考工具書。

⑤小型圖書館由休閒讀物的場所轉變為地區資訊中心。

波特（Nancy M. Bolt）認為小型圖書館轉變為地區資訊中心是必要的，因為小型圖書館專業館員認識個別讀者，了解他的需求，這一點是大型圖書館不能做到的❷。羅柏茲（Lynn Roberts）則根據〔大趨勢〕一書中所預測的方向，指出圖書館專業人員應有的條件和素養，她提醒圖書館專業人員，在公共關係及推廣活動方面，必須要加強訓練，更要充實溝通的技術和能力❷。

3. 資訊的迷惘

「資訊」是一個有魔力的字（Information magic word），懷特（Herbert S. White）以半開玩笑的口吻說：「連 IBM 這樣出名的公司，都停止自稱爲電腦製造業，而更改稱謂爲資訊技術商人」❷⑤。

資訊是否盡善盡美？蘇柏納（Tom Surprenant）表示懷疑的態度，他說：「電子革命的眞相是資訊越來越多，我們就需要更精密的技術來管制，其結果是產生更多的資訊使得技術失控，這個惡性循環不斷的運作，以致美國社會由資訊貧窮（Information Poor）轉變成爲資訊富裕（Information Rich），更變成資訊過剩（Information Surplus），結果到了資訊垃圾（Information Junk）的困境。」他進一步的指稱我們並不懷疑電子技術會使得圖書採訪、儲藏和資訊輸送更有成效，但是圖書館是否仍然是新體系的神經中樞呢❷⑥？

前述的懷特（White）則列舉資訊的問題如下：

⑴目前資訊都是個別製作和套裝的格式，與內容無法一致，因此硬體的裝備配置（Hardware Configuration）和軟體套裝系統（Software Package）的配合成了問題。

⑵資訊費用龐大，硬體很快就落伍。

⑶語言交換仍然是資訊取得的障礙。

⑷資訊太多，常產生錯誤資訊（Misinformation），甚至得不到資訊（Disinformation）。

⑸資訊過多（Overfeeding）或不足（Starving）同樣不妥❷⑦。

　　資訊的迷惘也造成圖書館事業的困擾。首先，圖書館員的法寶——書目控制系統失靈，其理由有三：

　　(1)資料需要者（End User）立刻取得資訊的願望。

　　(2)軟體進步使全文檢索（Free Text Searching）成爲可能。

　　(3)資訊儲存技術的進步。

　　其次圖書館專員扮演的中間人（Middle man）是一個吃力不討好的角色，使用者常常不明白在他們與資料儲存部門之間爲甚麼要出現第三者？就像抽香煙的朋友不一定會欣賞過濾煙嘴一樣㉘。

五、良好的圖書館專業敎育

　　1.圖書館學敎育大致可以分爲五級：

　　①管理員（Custodian）

　　其工作責任爲：管理書藏、流通服務、負責閱覽、機器操作等項。

　　②反應活潑的圖書館員（Responsive Librarian）

　　其工作責任爲：組織書藏、服務讀者、解答問題、運用機器等項。

　　③主動的圖書館館員（Active Librarian）

　　運用資訊、接近讀者、分析問題、推廣服務等項。

　　④革新。具有創意的圖書館專才（Innovator）

　　選用資訊、深入民間、研究工作、參與行政等項。

　　⑤具領導才華的圖書館專才（Leader）

主持行政、決定政策、單位協調、爭取支援等項。

上列五級與臺大圖書館學系所教學計畫比較，可以下列圖解示意：

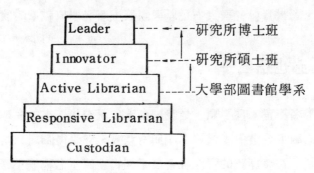

2.怎樣衡量？

西拉（Jesse H. Shera）在「圖書館研究敎育的目標與實質」一文中引用白里遜（Bernard Berelson）的卓見，指出研究所敎育最大問題，是找不出完整無缺的證據（Solid Evidence）來說明How good is it？如果要想答覆這個問題，必須從兩方面着手：

①研究課程的內容

②調查畢業學生（Product）的素質

為此我不厭其詳的列舉臺大圖書館學系所宗旨課程、師資、設備、圖書、學生著作、畢業論文等項資料，更附加敎育行政者和學者專家的意見，作為客觀評論的基礎，我無法在此地提供完整的畢業生就業資料，但臺大畢業生供不應求，在職者都能忠於職守，是有目共睹的事實，就師資而論，我沒有塡寫非永久性的客座敎授，例如今年學校聘請的李志鍾敎授，過去兩年聘請的張鼎鍾敎授，明年學校打算聘請的何光國，潘華棟敎授等都是飽學之

士，還有楊家駱教授不幸最近逝世，這是最大的損失。我個人敢
說臺大的師資陣容是一流的，學生也是頂尖的，課程是教育部訂
的，系必修科目增加社會學和統計學是我個人多年的期望，至於
設備、圖書資料，臺大有足以與國際上著名學府較量的實力。

六、必也正名乎

「名不正，言不順」是我國幾千年歷史傳下來的先聖名言，
我一向對「圖書館」這一名詞頗有意見，我覺得圖書只是媒體中
的一種，在多媒體的資訊社會裏「圖書之館」名稱既不響亮更不
能代表實際情況，英文的 Library 一字也不高明，讀者不信請查
英文字典。上過我課的學生都知道我決不許學生在作業封面上寫
「圖書館系」而一定要寫「圖書館學系」一字不差才能過關，儘
管如此，並不表示我喜歡「圖書館學系」字樣。

University California-Berkeley 圖書館學院院長柏克蘭
(Michael K. Buckland)對於大家習用「圖書館學校」(Library
School)和「圖書館學位」(Library Degree)的稱謂反感甚深，
他說：「在專業學府中以機構(Institution)的名稱放在學校和
學位一起極為少見，農業在農村進行，學農的學校為甚麼不稱為
『農村學校』(Farm School)？新聞學的學位為甚麼不稱為
『報紙學位』(Newspaper Degree)？學教育的學生進師範大學
或教育學院，他們在學校(School)教書,是不是他們進的學校，
應該稱為『學校學校』(School School)呢?圖書館事業(Libra-
rianship)　這個名詞也有點不可思議」❷。

霍拉克（Norman Horrocks）指出：我們過去所稱謂的「圖書館學院校」（Library Schools）現在紛紛改名，多半將「資訊」一字加入，有的稱爲「圖書館與資訊學院」（Library and Information Science），有的改爲「資訊研究學院」（Information Studies），更有稱爲「資訊管理學院」（Information Management），甚至也有學校在院系名稱中完全不提「Library」這個字❸。波可（Harold Borko）對圖書館院系的名稱也有意見，他說因爲圖書館學與資訊科學的關係密不可分，最好簡單明瞭稱爲「圖書館資訊學系」（Library Information Science）❸。

爲此我謹建議國立臺灣大學暨研究所最好更名爲「國立臺灣大學圖書資訊科學系及研究所」，以正視聽。

（筆者了解兩任系主任胡述兆敎授、李德竹敎授都曾經在臺大校務及敎務會議爭取改名，道高一尺，魔高一丈，可惜沒有成功。）

附　　註

❶ 王振鵠，我國的圖書館教育制度，圖書館事業與合作發展研討會會議記要（國立中央圖書館，民國 70 年 6 月），pp. 245-24。

❷ 國立臺灣大學圖書館學研究所研究生手冊（民國 80 年 5 月），pp. 3-6。

❸ 李德竹，敎育部和本系新修訂之圖書館學系必修課程，書府 11 期（79 年），pp. 7-8。

❹ 國立臺灣大學圖書館學系暨研究所實習圖書館簡介（民國 80 年 3 月 9 日），p. 14。

❺ Changes in Library Education: The Deans Reply, *Special Libraries* (Fall, 1986), pp. 217-225.

❻ Chin-chih Chen, The New Technology and its Potential for Information Professionals and the Effects in Library and Information Science Education, *Library and Information Science Education: An International Symposium* ed. by James S. C. Hu, National Taiwan University (1986), p. 14.

❼ Hwa-wei Lee, Challenges for the Library and Information Profession, *Journal of Educational Media and Library Science* (Spring, 1984), p. 231.

❽ 王振鵠，圖書館學論叢，書生書局（民國 73 年），p. 449。

❾ James S. C. Hu ed., *Library and Information Science Education*, An International Symposium, National Taiwan University (1986), p. 1.

❿ Robert D. Stueart, Great Expectations: Library and Information Science Education at Cross Roads, *Library Journal* (Oct. 15, 1981).

⑪ Edward G. Holly, Stability and Change: Library and Information Science Education in the United States, 1985, *Library and Information Science Education: An International Symposium*, National Taiwan University (1986), p. 130.

⑫ ARL Minutes. 101, p. 71.

⑬ Don Lanier and Nancy C. Messer, The Education of Librarians in an Electronically-Oriented Society, *Technical Service Quarterly*, vol. 1 (3) (Spring,1984).

⑭ Manfred Kochen, Technology and Communication in the Future, *Journal of the American Society for Information Science*, 32 No. 2, (March, 1981), p. 148.

⑮ Changes in Library Education op. cit., p. 225.

⑯ Toni Carbo Bearman, The Changing Role of the Information Professional, *Library Trends* (Winter, 1984),pp. 256-7.

⑰ Peter Harvard Williams, Library and Information Education Today, The British Point of View, *Library and Information Science Education: An International Symposium* (National Taiwan University 1986), p. 91.

⑱ 埃文·托佛勒著,黃明堅譯,第三波,經濟日報社(民國70年), p. 169。

⑲ Ibid., p. 370.

⑳ Hubert Fondin, The Impact of New Information Systems on the Training of Future Information Professionals, *Journal of Information Science* (March, 1984), p. 51.

㉑ John Naisbitt著,黃明堅譯,大趨勢,經濟日報社(民國72年), p. 24。

㉒ Sara Laughlin, *Small Public Libraries-Education for Professional Libraries*, ed. by Hurbert White (Know-

Ledge Industry Publications 1986), p. 70.

㉓ Nancy M. *Bolt and Corinne Johnson*, *Options for Small Public Libraries in Massachusetts*, (A. L. A. 1985), p. 46.

㉔ Lynn Roberts, "Megatrewds": Implications for Staff Development, *Colorado Libraries* 9 (Spring, 1983):8-11.

㉕ Herbert S. White, *Librarians and the Awakening from Innocence*, G. K. Hall (1989), p. 124.

㉖ Tom Surprenant, Future Libraries: The Electronic Environment (*Wilson Library Bulletin*, Jan. 1982), p. 336.

㉗ White op. cit., pp. 309-310.

㉘ Fondin op. cit., p. 52.

㉙ Michael K. Buckland, *Library Service in Theory and Context*, Pergamn Press, (1983), p. 18.

㉚ Norman Horrocks, North American Trends in Library and Information Science, *Canadian Library Journal* (Oct. 1986), p. 293.

㉛ Harold Borko,Trend in Library and Information Science, *Journal of the American Society for Information Science* (1984), p. 189.

8. 前途似錦——
臺北市立圖書館四十週年感言

　　今年光復節是臺北市立圖書館建館四十週年紀念日。這是我國圖書館事業一件大事。在我國現代圖書館史中更是一個極為重要日子，值得慶祝，值得讚美，我在無限欣慰之餘還想趁這個機會提出我個人的觀感。

一、從謝金菊館長的一封信說起

　　為了慶祝四十華誕，臺北市立圖書館正在計畫進行一系列的有意義活動，我得知這個消息，是由於謝金菊館長的一封信，在信中她指出：

　　……，回顧本館從無到有，由有而足，由足而富，再由富中求均，希望達到文化資產共享，市民人手一書的理想，朝向建立書香社會之目標邁進，……。

　　我看到這裏不禁拍案叫絕，因為這份公函至少有下列四大特色：

　　●在文字上，行雲流水，淋漓盡致。
　　●在精神上，聲勢磅礴，氣象萬千。

● 在內容上，言簡意賅，有條不紊。

● 在目標上，高瞻遠矚，堅定不移。

尤其可貴的是這區區幾十個字能夠將事實與理想兼顧，如果我們仔細玩味，在這封信的字裏行間流露出來實際運作的辛勞，正如同謝館長所說的「創業維艱守成不易」，臺北市立圖書館的成功決非倖致，我認爲是上下一心流盡汗水，用盡腦汁的必然成果，關於臺北市館的貢獻我在以後自有交代，另一方面這封信更明確指出今後臺北市館運作的方向，資訊富有，資訊貧乏(Information Rich, Information Poor) 是圖書館事業必需面對的主要課題，臺北市館「求均」的理念當然是我們圖書館界舉雙手贊成的。

二、臺北市立圖書館的漂亮成績單

臺北市立圖書館的工作績效是傑出的，讀者服務更是多彩多姿，美不勝收，爲了節省篇幅，我也不打算照單全收，關心的朋友不妨參閱臺北市圖發行的 "市圖之窗" ——這份號稱 "視野的延展，心靈的盛宴" 的精緻出版品於民國八十年十月創刊，每月發行一次，是臺北市圖和市民讀者的主要溝通管道，同時爲了愼重其事，加強客觀性我更引用國外最近發表的研究報告作爲評介台北市館業績的基礎。

1. 麥革遜（John A. Mc Crossan）的調查

麥革遜是美國南佛羅里達州立大學圖書資訊研究所教授，並

且曾經出任所長，他的調查報告名稱爲“公共圖書館館長對於圖
書館服務未來發展方向的意見”（Public Library Directors'
Opinions About Future Directions for Library Services）。
調查的對象爲美國都市人口在25,000以上的 219 個公共圖書館館
長，問卷回收率爲 166 份爲總額75.8%，可信度極高，這份調查
於1991年在公共圖書館季刊（Public Library Guarterly）上發表
在問卷中麥革遜列舉21種服務項目，要求這些被詢問的館長以 1
至 5 幾個數字註明重要性，5 爲最高 1 爲最低，此21個項目爲：

- 利用印製資料的參考資訊服務
- 利用電腦系統的參考資訊服務
- 館際互借
- 社區資料中心
- 職業輔導資訊服務
- 圖書流通
- 其他印製資料流通
- 影片流通
- 錄影帶流通
- 唱片流通
- 多語言能力的館員及多國文字資料
- 成人服務（館內）
- 成人服務（館外）
- 青少年服務（館內）
- 青少年服務（館外）
- 兒童服務（館內）

● 兒童服務（館外）

● 電話參考服務

● 郵寄圖書服務

● 圖書巡迴車服務

● 館外地點寄存圖書制度

此項調查統計結果如下 ❶：

　　● 圖書流通（排行第一）

84.15 ％的館長予以最高分 5

平均數 4.79

沒有館長予以 1 或 2 低分

　　● 利用印製資料的參考資訊服務（排行第二）

70.71 ％的館長予以最高分 5

平均數 4.76

僅有館長一人予以 2 分，沒有人予以 1 分

　　● 兒童服務（館內）（排行第三）

　　● 電話參考資訊服務（排行第四）

　　● 其他印製資料流通（排行第五）

另外一項調查爲郭德荷（Goldhor）於 1987年主持的調查，但是調查對象只有館長50人，麥革遜認爲代表性不足 ❷。

2. 臺北市立圖書館所作的努力

　　A.比照麥革遜的調查，也就是根據美國公共圖書館館長意見的排行榜。

　　● 圖書流通

79年　　　　2,731,227 冊

80年　　　　3,680,254 冊

增加數約　　　950,000 冊

上列數字尚不包括館內閱覽。

79年　　　　6,004,769 冊

80年　　　　8,513,095 冊

增加數約　　2,500,000 冊 ❸

　●利用印製資料的參考資訊服務

　　自79年11月臺北市立圖書館新總館開館後，在參考室規劃有中文參考資料區，西文參考資料區，日文參考資料區，剪輯資料區，縮影資料區，公報區,地圖區及留學資料區等已有相當規劃，自79年11月10日至80年5月31日讀者提出資訊問題10572件 ❹，市館擇其重要並具有代表性的問題及答覆編輯 "參考問題選粹" 足見對參考服務的重視，至80年6月參考問題選粹已刊出七集。

　●兒童服務

　　重視兒童服務是台北市館一貫的傳統「從0開始,直到永遠」是臺北市館運作的座右銘，這種進步的觀念深受我國圖書館界人士的喜愛，和洋朋友的敬佩，也造成了臺北市館在服務理論上領先很多國家同行的地位。

　　臺北市立圖書館的兒童服務分成兩個階段：

　　從0開始：

　　△準媽媽

　　　保健：家庭衛生 429

　　　胎教：文學 810 、美術 900 、圖案裝飾 961

命名：命名指南 293.3

育兒：營養、保健 411、育嬰 428、玩具選擇 426、兒
童歌曲 913.9

教育：親職教育 528.2、兒童心理 173

△學齡前兒童

啟發益智：學前書專櫃

睡前故事：神話 280、童話 859

學齡前兒童，可由家長憑成人借書證，借書給孩子閱讀
或讀給孩子聽；4 至 6 歲兒童，可由家長陪同到兒童室閱讀。

歡迎各公私立托兒所、幼稚園班訪問。

編印兒童圖書目錄及視聽資料目錄，贈送各幼教團體。

兒童活動區：充分的空間，啟發性的玩具，讓您的寶寶
從遊戲中學習，在歡樂中成長。

6 至12歲：

△圖書借閱：〔兒童室〕

各類型優良兒童讀物

兒童專用百科全書：幼獅少年百科、中華兒童百科、廿
一世紀百科等。

各類兒童期刊、報紙：新學友兒童週刊、小樹苗、國語
日報、小牛頓、兒童日報等。

△推廣服務：

小博士信箱：訓練小朋友利用參考工具書解答生活上的
問題。

林老師說故事：每週六在十七所分館，由義務林老師帶

領小朋友同遊故事王國，培養對文學的喜好與閱讀的樂趣。

圖書館之旅：灌輸圖書館知識、認識圖書館環境，學習利用圖書資料。

小義工服務

好書介紹

兒童書展

卡通影片欣賞：每週三下午二時在各分館視聽室放映。

各項研習與競賽

歡迎公私立小學班訪❺

除了上述活動經常進行以外，台北市館還建立了以兒童圖書為館藏特色的民生分館。

●電話參考資訊服務

臺北市立圖書館諮詢服務組為擴大服務層面並延長服務時間，除受理民眾以口頭、書面、電話提出之各類參考問題外，更自80年4月20日起增設電話答錄機及傳真機，提供24小時全天候服務❻。

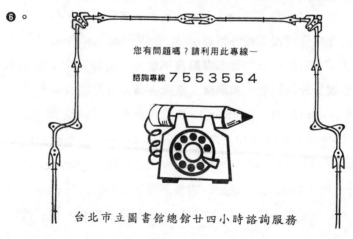

您有問題嗎？請利用此專線—

諮詢專線７５５３５５４

台北市立圖書館總館廿四小時諮詢服務

B.驚人的成就，正確的方向

我在前面引用麥革遜的圖書館服務工作排行榜，並且將臺北市立圖書館的實際運作配合比較，只是企圖說明美國公共圖書館長群認為重要的事，臺北市立圖書館早已想到，而且做得盡善盡美，這是我們國內圖書館界引以為榮的。

平心而起，臺北市立圖書館是一所好的公共圖書館，也是一所成功的圖書館。我認為臺北市館之所以稱得上"好"和"成功"並不是完全由於「績效」，更重要的是臺北市館掌握了正確的方向，為了節省篇幅，我只選擇性舉出三點略加說明。

(1) 公共圖書館的目標（purpose）問題

多年以來圖書館界一直為宗旨問題也就是公共圖書館目標的轉變而感覺到困擾。孟第 (Mary Lee Bundy)指控公共圖書館仍然是一個根本沒有目標的機構 (basically purposeless egency)。她說：「當文化環境面臨戲劇化變動的時候，公共圖書館還是站在那裏不動，好像穿了一件小一號的外衣，讓自己受了傳統觀念和歷史使命的束縛而動彈不得 ❼，彭其托 (Verna L. Pungitove)補充着說：「這是因為公共圖書館自不量力，企圖完成多項目標而將力量留於分散以致一事無成，造成一種沒有真正目的形象」❽。強生 (Gerald W. Johnson)，這位為公共圖書館標準 (U.S. Public Library Standard) 寫序的學人說：「圖書館是屬於活人的 (Library belungs to the living)，在亞默孫(Ralph Emerson) 時代有價值的圖書館服務，對我們現在的納稅人就會完全不合適了，因為時代不同，這個問題可能沒有最後答案，每一代的

人必需想出一個新的答案,生活的情況在改變,每一個存在的機
構必定會跟着轉變」❾。威廉斯 (Patrick Williams)有鑒於130
年來美國公共圖書館界不斷的被公共圖書館定位問題困擾,他特
別寫作美國公共圖書館與宗旨問題(The American Public Li-
brary and the Problem of Purpose)一書,在這本名著中,他將
美國公共圖書館宗旨的演進以歷史法分類爲下列八個階段:

- 波士頓模式　　　　　　1841-1878
- 小説問題　　　　　　　1876-1896
- 圖書館激進派　　　　　1894-1920
- 成人教育　　　　　　　1920-1948
- 公共圖書館調查　　　　1948-1950
- 傳統觀念和公共關係　　1950-1965
- 爲人民提供資訊　　　　1965-1980
- 走向正確的方向　　　　1980-1987

結論 ❿

威廉斯寫了一本好書,他深入的研究和豐富的資料都值得欽佩,
我個人閱讀後受益匪淺,但是他的分析過於着重細節,讀者很難
在讀後做出簡單扼要的結論,我願意推薦這本書作爲研究美國公
共圖書館史的必讀文獻,至於公共圖書館的宗旨問題,我想會一
代一代的連續下去,我同意強生的看法。

　　再看我國情況,台北市立圖書館的目標是肯定的,在謝金菊
館長的信中確切的指出:

- 富中求均
- 達到文化資源共享

　　●市民人手一書

　　●建立書香社會

這四點都會獲得圖書館界和社會人士的支持和贊美，我個人更是
舉雙手贊成，以後有機會我會進一步說明原因。

　　(2)　公共圖書館是為讀者而設立的

　　讀者是圖書館活動的三大要素之一，因此讀者服務是圖書館
列為首要工作，但是讀者服務也是吃力而不容易討好的工作，這
是基於下列原因。

　　首先對於讀者服務的概念，讀者和圖書館員完全不同，現代
化圖書館將業務分成讀者服務和技術服務兩大要項，史丁頓(Pa-
tricia F. Stenstrom)說圖書館員有以特殊工作來解釋服務的傾
向，參考工作，目錄性輔導是讀者服務，分類編目，館藏發展則
不是在讀者心目中，圖書資料豐富，架上排列有序，閱讀環境的
美化才是讀者服務⓫。

　　其次，讀者尤其是成年讀者對於圖書館的了解是過時，和現
代化圖書館的運作有泊生和格格不入的感覺，平茲麗 (Barbara
P. Pinzelik) 認為這是一個文化記憶 (Cultural memory) 的問
題⓬，這些有社會經驗的成人讀者以為他們已經有了充份運用圖
書館的能力 (Library Know-how)但是實際情形並非如此,加之資
訊控制是需要一套嚴密的規定的，這些複雜的圖書館管理程序跟
着館藏的成長越來越麻煩而讀者仍然固執的運用他的一般常識因
應以為綽有餘裕⓭。

　　由於上述這些問題，讀者輔導成了讀者服務中的主要課題，

也是引起爭論的問題，易沙遜（David Isaacson）下了一個評語，他說「祇有一個愚笨的圖書館才會相信讀者會將一切問題迎双而解，反過來說如果圖書館以爲必需教導讀者每一樣事，也是同樣的頭腦不清楚」❹。

讀者服務工作知難行亦不易，引起了不少的討論和研究，畢時勒（Joanne Besoler）以詢問的口氣說「究竟讀者知不知道好歹？」（Do Library Patrons Know what is good for them?）這是她寫的文章的題目。盧賓（Rhea Joyce Rubin）指出：「最近的消費者研究顯示不滿意的客戶中，90%是不會回來的，而且每個人至少要告訴9個友人，他的不愉快經驗，平均而論，不愉快的客戶將困擾緊記在腦海之中長達23.5個月，而滿意的客戶將愉快的經驗記憶的時間只有18個月。」在我們圖書館事業的術語裏讀者（Reader）也就是客戶（patron），他又說：若干的研究報告指出讀者是圖書館員感受到壓力（stress）的主要來源，但是也有不少的調查顯示讀者是圖書館員感覺到愉快的因素，我們今後的做法是如何減輕壓力感而增進愉快滿足的情緒❺。

臺北市立圖書館在讀者服務方面可以說做得有聲有色，成效卓著，我在此擇要說明：

(a) 修訂規則便利讀者

● 降低開架閱覽室借閱圖書的年齡限制

（原規定12歲以下者僅可借閱兒童室書籍）

● 取消分區辦證及代辦人的限制

（原規定辦理借書證需在戶籍所在的行政區）

● 放寬借書冊數及延長借閱期限

（原每人借書二册，借期二週，現在每人可借書五册，借期一個月）

● 取消外借圖書每册定價不超過1000元的限制。

● 建立自助式還書制度，增設還書箱。

● 延長開放時間，除國定例假日外，全年不休。

(b) 輔導讀者，加強與讀者溝通

● 編製讀者使用手册（於80年1月開始使用）其內容包括：

本館沿革

總館各樓層配置

參考室的簡介

期刊閱覽室簡介

兒童室簡介

視聽中心簡介

總館及分館地點一覽表

臺北市立圖書館閱覽須知

兒童室閱覽須知

圖書資料外借要點

圖書資料遺失污損賠償要點

館藏資料複印服務要點

如何找到所需要的圖書資料

推廣服務

未來發展

● 主辦讀者座談會

（請參見市圖之窗第 7 期報導）

● 主辦公共圖書館如何增進讀者服務座談會

（請參見市圖之窗第 6 期報導）

● 配合圖書館週活動

（請參見市圖之窗第 3 期報導）

● 主辦查資料比賽

（請參見市圖之窗第 4 期報導）

● 成立成人教育資源中心

（請參見市圖之窗第 9 期報導）

● 成立書香聯誼會

（請參見市圖之窗第10 期報導）

　　謝金菊館長專題演講宣導全民推動書香社會，此一演講於 6 月27日下午在華視視聽中心舉行，內容分為五點：

　　第一、要培養全民閱讀好書的良好習慣。

　　第二、要訂有書商出版好書的獎勵辦法。

　　第三、要建設社會提供好書的良善環境。

　　第四、要健全作者創作好書的保障制度。

　　第五、要規劃教導利用好書的完整體系。

（請參見市圖之窗第10期報導）

　　我之所以不厭其詳提到謝金菊館長的演講，基於下列原因：

　　● 這次演講證實了臺北市館以建立書香社會為目標的決心。

　　● 這次演講明白的表示臺北市館的工作已經得到大眾媒體的認同。

　　● 這次演講顯示臺北市館在公共關係上所作的努力已經有了良好結果。

　　(3)　公共圖書館深入民間──分館的建立

　　資訊時代的出現使得圖書館事業遭受到空前的衝擊，「就圖書館本身而論，規模龐大，廣收群籍的大館思想必須報廢，我們可預見的將是一群精巧玲瓏的小館，作網式的分佈，在其中心位置設立資料庫，這一群小館好像環繞的衛星」❻。這段文字是我在民國63年寫的，到現在已經快二十年了，甘氏（Herbert J. Gans）說，「公共圖書館本來就是一個鄰居的機構圖書館系統中最重要的就是分館」❼，吳斯立（Peter Worseley）對於甘氏的意見熱烈的贊同，他引用甘氏的話說：「公共圖書館的總館可能是體系中的旗艦……但是社區民眾取書的地方是分館。」圖書館應該是充滿活動的地方，它可能放在商場，它也可能在購物中心而不應該擺在中產階級的修道院❽。我所說的小館就是他們所謂的分館。羅賓孫（Charles Robinson）對於公共圖書館的前途有點耽心。因此他寫了一篇題目為 "公共圖書館還有救嗎"（Can we save the Public Library）的文字在圖書館學論文集（Library Lit 20- The Best of 1989）中發表，他雖然有點悲觀，但是並沒有完全絕望,他聲稱:「公共圖書館的希望在於分館」❾。

　　臺北市立圖書館深入民間，對於建立分館可謂不遺餘力，其特徵有以下兩點：

　　1.　若干分館具有館藏特色，例如：

長安分館	市政資料
民生分館	兒童
城中分館	資訊科學
中山分館	企業管理
道藩分館	文學

北投分館　　　　　　生態保育

大同分館　　　　　　特殊教育

景美分館　　　　　　教育

林語堂紀念圖書館　　林語堂文物資料

　　尤其可貴的是臺北市館並沒有硬性規定每一所分館都必需具有館藏特色。

　　2. 臺北市立圖書館現有分館及預建分館一覽表

行政區	現　有　分　館	新　建　分　館					小　計
		81年度	82年度	83年度	84年度	85年度	
松山區	松山、民生	三民		敦化			4　館
信義區	永春						1　館
大安區	道藩、大安						2　館
中山區	長安、中山	大直					3　館
中正區	古亭、城中				東門		3　館
大同區	延平、建成、大同						3　館
萬華區	龍山、東園、西園				萬華		4　館
文山區	景美、木柵、永建			政大	文山	景新力行	7　館
南港區	南港						1　館
內湖區	內湖	東湖西湖					3　館
士林區	社子、天母、士林林語堂、錢穆						5　館
北投區	北投、石牌、稻香清江						4　館
累　計	29館	33館		35館	37館	40館	

　　錢穆、清江、永建三所分館均為謝館長任內所開館，三民、大直、東湖、西湖四所分館結構體已完成，預計可在82年度全部開放。

　　臺北市立圖書館是在民國41年，合當時的四所小館而正式立館的，四十年來除了總館新建以外，已有和預建的分館將達四十所，增加率為10倍，在世界各國公共圖書館建立分館的歷史裏一定是唯我獨尊的了。

三、「四十不惑」，前途似錦

　　在人生的旅程中，四十歲是關鍵年，外國人喜歡說「人生四十才開始」（Life begins at forty），這是為鼓勵那些年齡已經到了中年，而春風並不得意的人說的，這句話只能「言傳」却很難「意會」。「開始」兩個字如何解釋？如果人生真正在四十歲才開始，那麼前面三十九年豈不成了光陰虛度？

　　比較起來，論語中「四十而不惑」就高明得多。「不惑」的意思是通達一切事理，沒有疑惑，我國的文化思想偉大之處就是合乎邏輯。「四十而不惑」不像「人生四十才開始」突如其來，前面有「吾十有五而志如學，三十而立」後面有「五十而知天命，六十而耳順，七十而從心所欲，不踰矩」前後連串，一氣呵氣，這是我們圖書館界所熟知的依時間先後排列的秩序（Chronologcal order），這種體系是科學的也就是合乎論理學原則的。

　　臺北市立圖書館建館四十年了，回想起來四十年前我還在美國丹佛大學讀書同時也在丹佛市立公共圖書館工作，由於這種背景我極為關切公共事業，也特別留心這方面的文獻最近看到兩篇報導，一篇是美國圖書協會1991年度總報告❷，從這篇報導之中

我才知道今年是丹佛市立圖書館建館一百週年，丹佛市公民投票通過發行美金九千一百萬元公債以建築新的總館，增加一所新的分館，改建十五所分館，預期新館於1994年完成。（這是第三次建築新館，我於1955年離開美國前曾經參加第二次遷入新總館的工作）爲了紀念一百週年，丹佛市館還打算頒發若干獎狀給讀者（Customers of the year），使我感到欣慰，這份報告雖然語氣樂觀，却掩飾不了美國公共圖書館事業有點走下坡的事實在公共圖書館業績報告中第一句話就是「本年度圖書流通量略有增加，雖然今年比去年減少了 105 所公共圖書館」❹，英國的情況更是不妙。根據新聞週刊（Newsweek）最近報導，英國國家圖書館（The British Library）新館建築計劃一波三折，原來打算將17所公立圖書館的圖書資料集中一處於1990年完成的計劃落空，這個計劃已經籌劃了十四年之久，現在建材在那裏腐亂，估計最早要到1994年才有希望完成，雷克（Brian Lake），這位英國讀者協會的執行長很不滿的說「本來是一件好事，現在却變成一個醜聞」，新聞週刊的標題是「閱覽室裏面的咆哮之聲（Ruckus）」副標題是「新的英國國家圖書館使得愛書的讀者熱血沸騰」❹。

　　若干年來，很多學術界人士對美、英開發國家的圖書館事業羨慕不已，他們覺得做學問和研究全國外，尤其是美國比在國內方便，我們的圖書館比人家的落後幾十年，我過去也有這種想法，現在我的觀念有了很大的轉變，憑良心說美國圖書館事業，尤其公共圖書館是不錯的，我們的公共圖書館離他們的公共圖書館還有一段距離，但是他們的圖書館受到挫折，慢慢的變，主要是受到經濟問題的衝擊，我們的公共圖書館則在加速的迎頭趕上，臺

北市立圖書館就是一個最好的例子。

　謝金菊館長在信中說雖有「慶賀之舉」「而不敢存絲毫自滿之心」由這句話就看出臺北市館已經做到了「四十不惑」，值此慶賀臺北市館四十週年之時，「秀才人情紙一張」我謹將八個字贈送與臺北市立圖書館謝金菊館長和全體同仁。

四十不惑，前途似錦

附　註

❶ John A M. Crossan. Public Library Directors' Opinions About Future Directions for Library Services. In Public Library Quarterly. Vol. 11 (3), 1991, pp. 5-17.

❷ Ibid., p. 6.

❸ 臺北市立圖書館：市圖之窗，第 7 期，民國 81 年 4 月號，第三版。

❹ 臺北市立圖書館：參考問題選粹，第 7 輯，p. 3 。

❺ 臺北市立圖書館：臺北市立圖書館為您提供終身服務，民國 80 年 11 月。

❻ 臺北市立圖書館讀者使用手冊，民國 80 年元月。

❼ Mary Lee Bundy. Factors influnecing public Library use. Wilson Library Bulletin. 42:371-82, 1967.

❽ Verna F. Pungitore. Public Librarianship. An Issue-oriented Approach. New York: Greenwood Press, 1989, p. 36.

❾ Barry Totterdell, ed. Public Library Purpose: A Reader London: Clive Bingley 1978, p. 66.

❿ Patrick Williams. The American Public Librarw and the Problem of Purpose. New York: Greenwood press, 1988, Contents.

⓫ Patricia F. Stenstrom. Our Real Business in the Journal of Academic Librarianship. May, 1990, p. 78.

⓬ Barbara P. Pinzelik. An Unreasonable Burden In the Journal of Academic Librarianship. May, 1990, p. 83.

⓭ Patricia F. Stenstrom, op. cit., p. 83.

⑭ David Isaacson. An Educationally and professionally Appropriate Service in the Journal of Academic Librarianship, May, 1990, pp. 80-81.

⑮ Rhea Joyce Rubin. Anger in the Library: Defusing Angry patrons at the Reference Desk (and Else Where) in the Reference Librarian. No. 31, 1990, p. 49.

⑯ 沈寶環，圖書館學的趨勢，圖書館學，中國圖書館學會編，臺灣學生書局，民國 63 年，pp. 36-37 。

⑰ Herbert J. Gans, "Supplied-Oriented and user-oriented planning for the Public Library." in Public Library Purpose ed. by Barry Totterdell. London: Clive Bingley, 1978, p. 81.

⑱ Peter Worskey, Libraries and Mass Culture. in Public Library Purpose ed. by Barry Totterdell. London: Clive Bingley. 1978, pp. 93-95.

⑲ Charles Robinson. Can we save the public's library? Library Lit 20-The best of 1989 ed. by Jane Anne Hannigan, Metuches, N. J. The Sun Crow press, 1990, p. 112.

⑳ American Library Association. Libraries and Information Services Today. Chicago A. L. A., 1991, pp. 206-207.

㉑ Ibid., p. 206.

㉒ Newsweek. Aug. 10, 1992, p. 37.

9. 本是同根生——
我看大陸圖書館事業

題目的說明

　　本年九月我圖書館同仁十四名，在王教授振鵠兄領導之下，成功的訪問了大陸重要圖書館及圖書館教育機構。這是一支極為特出的隊伍，既無正式組織，又沒有一定名稱，更不以學校及團體名義參與活動。實情雖然如此，但是我們並不是一盤散沙，若干必要工作都由大家自告奮勇承當下來。盧荷生教授擔任總務井然有序，他無法分身時則由凌公山館長代理。贈送各單位紀念牌是一件頗費心機的事，經吳主任萬鈞精心設計，中間題詞為「文化津梁，功蓋士林」，上款為「1990年訪問紀念」下款則由我們十四人共同署名。林孟真教授不僅每次將這些紀念牌提來提去，甚至將自己私人的禮品也陪了進去。其他青年朋友或排隊辦理手續或搬運行李，至誠可感。我在此要特別感謝林孟真、范豪英、吳明德、吳祖善、吳琉璃、陳國瓊等幾位青年學人，對我個人的照顧。說來慚愧，成員十四人之中只有我一人是坐享其成。

　　這次訪問是海峽兩岸圖書館同行第一次大規模接觸，深信關心這一空前盛舉者大有人在，我願意略為報導。由於我們這個組

合的特徵，我這篇拋磚引玉的文字只能代表我個人的意見，因此我以「我看大陸圖書館事業」為篇名。振鵠兄在訪問武漢大學圖書情報學院時指出：「我們這次到武漢大學是尋根來的。」他說得沒有錯，武漢大學圖書情報學院是繼承文華圖書館學專科學校才有今天，先父　祖榮先生是文華圖專的校長，我不僅是那個學校的校友，也曾經擔任過教職。「尋根」之說對我更有不尋常的意義，因此我在篇名上增加「本是同根生」的一頂帽子。

由於篇幅的限制，我祇能在日記中抽出部份作為本篇的內容。我們成員之中大牌教授胡述兆兄對於大陸圖書館教育情況比我了解深入，他將在明年五月舉行的圖書館與資訊服務新境界國際研討會中，應邀提出有關大陸圖書館教育的論文，因此我在這方面從略，萬一我偶爾涉及而發生偏差時，應以他的觀點為準。

日記節錄

9 月 2 日

天氣轉晴，昨天的大雨和前兩天的颱風，讓我擔心不能成行的疑慮已經一掃而空，古人說「天有不測風雲」的確有些道理。

中國民航 CA102 是一架新的飛機，坐位舒適，設備完善，空中小姐穿著入時，秀麗大方。她們工作極為認眞，似乎一直在動，可惜表情稍嫌嚴肅，我想如果她們臉上略帶一點笑容，會予旅客一個更好的印象。

我的坐位靠窗，從窗戶看下去，睽違了四十三年的大好河山就在眼前。飛機呼嘯而過，我好像在欣賞一幅雄偉美麗的連環圖畫，心情極為複雜，一會兒回想到轉變的天氣，忽然又抬頭找尋空中小姐的倩影，有一位小姐在笑，我心中如釋重負。

飛機抵達北京機場，看見歡迎的人潮，大陸圖書館界領導階層包括任繼愈、杜克、莊守經、王振鳴等都在場。從北京機場到市區有一段頗長的距離，這些重要人物全部到齊表示歡迎，盛情可感。

夜宿暢春園飯店，這家旅館唯一好處是離北京大學和文化區較近。

9 月 3 日

訪問北京圖書館

此館前身是京師圖書館和國立北平圖書館。新館於1987年7月完成，10月15日開館，佔地7.42公頃，並有預留地3公頃。館舍面積14萬平方米，最大容量可藏書2,000萬冊，可以維持到本世紀末，有閱覽室30個，閱覽座位 3000個，平均每天接待讀者7000-8000 人次。

截至1986年止，北京圖書館館藏數字如下：

圖書	6,471,741 冊
期刊	5,895,868 冊
非書資料	933,561 件
報紙	88,209 冊

資料	388,745 冊
合計	13,778,124 冊（件）

每年增加新書約60萬冊（件），並和 1,694 個各國圖書館保持交換關係，其出版品有四種：

① 文獻季刊

② 北京圖書館通訊季刊

③ 中國國家書目

④ 外文新書通報

在圖書館自動化方面，1984年裝置了 M-150H 計算機系統，利用 LC MARC 發展西文輔助編目工作，新館開館時在DDP11/73 計算機上實現自動化流通管理，預計於 1991 年前可以完成中日文機讀編目。

在光盤檢索服務上現有：

MEDLINE	生物醫學索引	1983-
NTIS	科學技術報告索引	1983-
LISA	教育學文獻索引	1966-1988
ERIC	科學引文索引	1989
國內經濟法條文（中文）		1949-1987

北京圖書館優點甚多，在世界超大型圖書館中（例如美國國會圖書館、大英博物院圖書館、列寧格勒國家圖書館）爲最具潛力，最有發展可能的圖書館，可謂得天獨厚。對大陸圖書館事業確已善盡輔導的責任，統一編目卡片及提供書目予全國圖書館，都是可圈可點的成績。該館職工共計 1,625 人，其中專業人員即達 1,132 人。圖書館編制一直是我們頭痛的問題，看到他們的大

手筆，（另外一例是善本閱覽室整齊劃一的全紅木傢具桌椅）我不知道如何表達我的感受。

北京圖書館並非毫無瑕疵，照明強度不夠，空氣調節不理想（可能爲了節約能源，這是可以諒解的，而且改進也不難）。比較嚴重的是參考室（他們稱爲工具書室）已告爆滿，必需速急設法調整。我覺得可試行將中日文與西文分開，因爲西文參考書需要增加的不少，新穎的程度也嫌不夠。我曾將我的意見直截了當的告訴部門人員，得到的答案是，「很難，不知道應該怎樣辦。」使我頗爲驚訝。副館長邵文杰在簡報中指出「過去在書庫中調書祇需十五分鐘，現在自動化了反而需要半小時」，我很欽佩他有問題就講出來的坦白作風。主管知道問題之所在是好現象，表示他發現了問題，我想北京圖書館會想出解決的辦法。

中午12時在翠宮飯店由大陸圖書館學會作東主辦歡迎酒會，賓主出席者在六十人以上，大陸圖書館界有頭有臉的人士幾乎全部在場。所謂酒會實際上是一頓豐富的自助餐，酒會主持人是大陸最孚人望的學者任繼愈先生。他的現職是北京圖書館長，但是他給我的名片頭銜中列舉了中國社會科學院名譽所長，研究生院教授，北京大學教授。此公講話斯文而有內容，緊接著致詞的是文化部圖書館司司長杜克。他身兼大陸中國圖書館學會副理事長和國家圖書館常務副館長等要職，是大陸圖書館界的眞正龍頭和權力中心，經常領隊出席有關圖書資訊的國際會議。我久仰大名，不免多看了他幾眼，我覺得他有極強親和力和說服力，握手時強而有力，機智和能力都是第一流的，換句話說很有幾把刷子。在北京我和他有多次接觸，餐會也被排在他的身邊，因此增加了很

多了解，我心中感慨萬千，大陸圖書館界能重用這種人才，圖書館事業怎麼會不起飛！

任、杜二位致詞以後 "臺灣—大陸圖書館訪問團" 由振鵠兄和我講話答謝。酒會中看到若干武漢大學圖書情報學院出身的學會理事和館長，廣東省中山圖書館館長黃俊貴就是其中一位。他來北京參加酒會第二天上午就趕回廣州，他親切地和我談話，一再強調文華圖專和武漢大學的關係，並邀約我前往廣州訪問。

今天晚餐由北京圖書館邀請在頤和園聽鸝館舉行。

9 月 4 日

參觀北京大學圖書館及北京大學圖書館學系。

北京大學圖書館館長莊守經身兼中國圖書館學會副理事長，及全國高等學校圖書情報工作委員會副主任兩大要職，後一項職務尤其重要。北京大學因此也為全國一百餘所高等院校代為訂購國外書刊，經費來自世界銀行貸款。該館設有專款採購辦公室，經費總額在美金2000萬元以上，有趣的是從臺灣採購的書刊因為運用此項經費，在會計科目上也算外文。

此館正式編制人員約 300 名，其中20％為副研究員以上人員，40％為專業館員，另外 40％為一般性非專業職員。由於研究人員地位崇高，去年有十餘位理工學科教授轉職到館服務，「由教轉職」在我們有臺灣經驗的人聽來，幾乎是不可思議的事。

北京大學圖書館學情報學系教職員工60人，其中教授 3 人副教授14人，講師14人助教22人。學系分為兩個專業圖書館學屬文

科，畢業生授文學士學位，科技情報則屬理科，畢業學生授理學士學位。目前共有學生2030人，其中本科生280人，碩士班50人，函授生1700人，教員在近年來出版專著40種，發表論文600篇，其在學術上最大貢獻爲製作"漢語科技文獻自動標引"第一期已告完成。

系主任周文駿教授兼任中國圖書館學會編輯出版委員會主任，是一個典型學者，他講話極爲風趣。他說北京大學的綽號是「一塌糊塗」，塌指的是自來水塔，糊指的未名湖，塗則指的是圖書館。

9月5日

訪問圖前往長城遊覽。

我則留在旅社和文華圖專校友聚會，出席者有趙貞閣、陳憲章、苗惠生、盧雪儔、趙繼生、程其奮（以上是我的學生），張書生（同班）並共進午餐。我和這些文華校友在校時關係深厚，他們畢業後都在圖書館工作一直到退休（科學院、北大、師大、北京圖書館等處。）我們有四十多年未見了，今天歡聚一堂，使我興奮不已。

晚餐由中國對外出版貿易公司在北海仿膳宴請，據說郭婉容部長也曾在此一餐館招待出席亞銀貴賓，餐後觀賞北海燈會。

9月6日

整日遊覽故宮及自由活動。

　　晚間孔子文化大全編輯部邀宴，此一公司兩年之內出版孔子文化大全精裝本72種。

　　我因應全國圖書館文獻顯微編製中心主任李竟邀宴無法分身前往孔膳堂，祇好對孔子大全編輯部負責人于承九和房小軍先生致歉了。

　　李竟是我舊識，1982年澳洲主辦中文書目自動化國際會議時，他和我分別擔任海峽兩岸代表團的領隊，大陸和臺灣各派出代表六名。記得和我同去的是黃克東、藍乾章、胡歐蘭、謝清俊、楊鍵樵等五位教授。說起來，這是海峽兩岸圖書資訊界同行第一次接觸。

　　在李竟領導之下，50,000種善本已製作顯微膠捲，另外30,000種中文期刊也已經製作成爲顯微格式。陪同我進餐的還有國家圖書館自動化發展部副主任朱岩，北京圖書館交換組長楊仁娟等人，我到澳洲開會時楊仁娟在澳洲作交換館員。今年在美國芝加哥A.L.A.年會再度見面，她已經是中上級主管了。

　　回到旅館，王振鳴副校長來訪，他帶來紙包兩三支油煎蝎子，據說是孔膳堂的名菜，我看了看，怎樣也不敢下嚥，祇好敬謝不敏，王振鳴大笑而去。

9月7日

　　參觀北京師範大學圖書館及圖書情報學系。

　　北師大爲全國六所重點師範大學之一，1949年後輔仁大學併入此校，主要教學目標爲培養高等學校師資，全校學生14,000名，教職員工計4000人。

圖書館建築美觀實用，爲邵逸夫捐款1000萬元港幣興建。邵逸夫捐款興建的大學圖書館共爲十所（第一期），藏書270萬冊閱覽席次1520個，館中設有港臺圖書閱覽室（我們看的圖書館都有港臺圖書室，顧名思義專門收集大陸以外以中文寫作的圖書）。

北京師範大學圖書館長是金宏達教授，獲有博士學位，是中國文學教授。他是回族，將「回族」兩字印在名片上，似乎有點特別。

圖書情報學系系主任是裘名敦教授。該系規模不大祇有教職員28人，學生180人，研究生6人，該系的特色在於辦理館長班和少數民族班。

晚宴爲較正式的招待，日程表上印出由中華文化聯誼會宴請，地點爲御饍飯店，主人爲文化委員會秘書長王遠芬和文化部副部長徐文伯，席間王遠芬（女）和徐文伯先後致詞。他們演講都是第一流的，尤其王遠芬口若懸河，聲音略帶磁性，令人激賞。王振鵠兄代表大家致答詞也甚爲得體，好像我也講了話，至於講的甚麼我已經不復記憶。

9月8日

我們包小型遊覽車二輛前往天津，大陸中國圖書館學會特派王振鳴副校長、何洋兩位先生全程陪伴。王振鳴副校長是王振鵠教授的胞弟，他們昆仲二人各有千秋，在外表上不經介紹，絕想不到他們有手足之親，在內涵上振鵠兄沉著冷靜穩如泰山，王振鳴副館長則完全外向，有話就講，不講不快，我和他很談得來，

加之我們倆人都是「菸民」關係，自然更加一層。王振鳴是天津南開大學分校副校長，中國圖書館學會常務理事，天津市圖書館學會副理事長。天津是他的地盤，他說：「天津對你們的接待決不亞於北京。」他的話一諾千金，我們住的利順德大飯店曾獲第15屆國際旅遊金牛獎，並有一間曾經是接待國父孫中山先生的套房。

　晚餐由天津市圖書館學會舉行酒會，由天津市副市長陸煥生主持。陸副市長是水力專家，曾任天津大學教授，他身體魁偉，聲音洪亮，在致詞時好像在發表競選演說，能使聽者動容，我對此公的口才佩服得無話可講，我想總有一天他會做宣傳部長。爲了招待我們，天津市圖書館學會還安排了樂隊和模特兒服裝表演。當晚天津市圖書館要角全部在場約50人，我們14人分開每人一桌，由天津市方面派出四五名主人相陪，除了圖書館界人士外，還滲入了若干社會名流和知名之士，如天津市文化局副局長張新生，政治協商會議天津市委員會常委楊思愼，天津市政府臺灣事務辦公室主任張祖華等，氣氛熱烈而且儀式隆重。

9月9日

　參觀天津市圖書館。

　天津市圖書館爲清末建立在北方的第一所圖書館。另一使天津市圖書館同仁感覺到驕傲的是日本投降儀式在本館舉行。

　藏書285萬册，其中33萬爲古籍包括善本，地方誌等。工作人員269人，其中120人爲專業館員，閱覽席位300個，領借書

證的讀者約 80,000 人,證件分兩種,中文借書證及西文借書證,
視讀者閱讀能力而定,讀者一次可以借書10册。

市館與天津市圖書館學會合作出版學報三種:

① 圖工作與研究

② 津圖月刊

③ 中小學圖書館

此館自己設有印刷廠。

青少年閱覽室,讀者滿堂,足見讀書風氣良好,我特別欣賞
掛在青少年閱覽室的一幅標語「為中華之崛起而讀書。」此館缺
點在於空間太小,書架不夠,若干圖書堆放地上,參考室中玻璃
書櫃尺寸不合使用,大部頭百科全書祇有平放,這些缺失,新館
完成之後一切可以解決。

館長林景山、副館長張學仁、另一副館長陸行素負責新館建
築,常川駐節工地辦公。新館18層,計40,000平方公尺,計分為
A,B,C,D,E,F六區,以A區為中心地下2層,地上16
層,呈五星拱月型。新館設有單身宿舍一層,供未婚館員居住。
在新館建築完成後,員工將增加至400人。

我們曾到工地參觀,看見前述的副館長陸行素。他的另一頭
銜是天津圖書館新館工程項目經理,他根本不到總館辦公而是全
天候守在工地。這位青年才俊型副研究館員對於工程每一細節簡
報起來和答覆問題的時候如數家珍,專人負責建築,考慮單身館
員生活問題和人員編制有彈性,都是值得我們借鏡的地方。

晚餐在幹部俱樂部舉行,此地是舊英國跑馬場,主人是南開
大學分校校長喬炎(女)人大畢業,她是王振鳴的頂頭上司。

9 月 10 日

　　參觀天津大學科學圖書館。

　　此館也是邵逸夫捐贈，建築設計由大學建築設計研究院負責。鋁製書架也由該校自行製造，該校有 8 個工廠是圖書館自力救濟一個最好的模式。此館面積爲10,968平方米，由東西兩部組成，東部五層是圖書館主體，西部三層是進行學術討論的場所，有大小會議室及18個研究室，於1990年春季完成。

　　此館服務重點在於科技情報檢索服務，於1989年引進 CD-ROM光盤數據庫系統，DAO 系統（國際博士論文摘要光盤版，及 Bibliofile 西文書目數據庫，國際聯機檢索則與 DIALOG 連線。天津大學圖書館有南北二館隔湖相對，南館爲新館，書刊不外借，學生借書在北館，上述的科學圖書館是南館，藏書總額 150 萬冊。期刊 4,000 種。

　　參觀南開大學圖書館。

　　南開大學圖書館定名逸夫樓，也是邵逸夫第一批捐獻十所大專圖書館之一。捐款港幣 1,000 萬元，政府配合款 300 萬元（人民幣），新館共五層，面積115,00 平方米，閱覽席次1160個。

　　公佈欄所展示的文件中有一篇「一個撕書者的自白」，爲一個社會學系學生於1990年 5 月的無記名投書。其他都是檢討和批評撕書的文字和信函，想必撕書情況相當嚴重，使我頗爲驚訝。

　　此館設有美國與加拿大研究室和日本蘇聯東歐研究室，但是圖書、期刊學報卻少得可憐，我們看過的幾所圖書館也設有類似

的研究室，毛病也大體相同。胡述兆教授和我都是中央研究院美國文化研究所的研究員，相信我們的看法相同。中研院美國文化研究所（南港）圖書館是我創建的，我深知收集資料的困擾，大概開辦時間不久和節省外滙可能是應該考慮的因素。館長馮承柏先生是國際問題研究中心副主任兼美國問題研究主任，換言之，是行家深信在他領導之下，這個研究室會在短期內改頭換面。

今天最使我感到興奮的文華圖專校友張明星（我的學生）到館裏來看我，還送了我兩支她親手製作的布蝴蝶，我感動得幾乎流下淚來。

晚餐後乘原來旅行車回北京，以便搭乘明天上午的飛機去武漢，夜宿北京機場附近華都飯店。

9 月 11 日

中國民航客機抵達武漢已經是下午了，武漢大學圖書情報學院院長彭斐章教授等武漢圖書館領導人物都在機場迎接，彭斐章是我此次大陸行最想見面的一位學人。一則武漢大學圖書情報學院承繼了文華圖專的圖書館教育任務，這個學院是大陸唯一圖書館學研究院，在70多個圖書館學系中鶴立雞群，其領導地位是不容懷疑的。再則彭斐章是文華圖專最後一屆的學生，也是武大圖書館學系第一屆畢業生。他的地位可謂承先啟後，我和他雖然從來沒有直接通訊，但間接的（透過振鵠兄和舍妹）接觸，使我們彼此之間有相當了解。參觀武漢大學圖書情報學院，拜訪彭斐章是我這次大陸之旅的第一目的。彭院長和我熱烈的握手，我也乘

機仔細打量了這位大陸圖書館界排名第一的學人，我發現他兩眼有神，滿面紅光舉止穩重，言談親切是一位極容易接近也好相處的人。

夜宿漢陽晴川飯店。

9 月 12 日

參觀湖北省立圖書館。

由楊梅清館長接待，文華圖專校友昌少千（我的學生）也在場。他曾任此館副館長，現已退休，因為要見我，特地趕來參與簡報及座談。

現在館址於 1935 年興建，先嚴　祖榮先生曾參與設計，奠基紀念碑（圖二上面刻有先父名諱——下排右二）仍然保存原狀。

湖北省圖書館藏書 342 萬册，頒發借書證35,000份。湖北省轄區有71縣，人口五千萬，全省共有公共圖書館 101 所。書藏總計為1,210 萬册，71縣市中祇有一縣沒有建新館。該館影片簡報將所有新館一一顯示在銀幕之上，目前湖北館正在建築新館。

午餐由湖北藝術學會招待。下午參觀湖北省博物館。晚餐由湖北省文化廳副廳長周濟洋在紫陽湖賓館招待。晚間武漢大學圖書館學系主任黃世忠由林孟眞館長陪同來看我並贈送先父　祖榮先生榮譽證書。頒發單位為中國圖書館學會，頒發時間為1989年12月。

9月13日

參觀武漢大學圖書館及武漢大學圖書情報學院。

武大圖書館藏書 220 萬册，工作人員 176 人。該館一切設備及運作都夠水準，唯有參考室中木製書架木板彎曲（木材未乾就製作傢俱通常發生這種現象），以致大套參考書在架上排列時東倒西歪，殊不美觀。

武漢大學圖書情報學院教職員 130 人，著作豐富，有關專業中西文圖書、學報、資料均極完整，能夠成為大陸圖書情報科學最高學府並非倖致。關於武漢大學圖書情報學院的詳細報導，請參閱彭斐章著「七十年歷程」一文。（該院並主辦70年來進展的展覽會。）文華圖專校友，我的學生汪柏年，李愛珠趕來和我見面，相見甚歡。

9月14日

參觀華中師範大學圖書館，由副校長王秋來接待。華中師範大學由華中大學、中華大學、湖北教育學院、中原大學合併而成，培養中等學校師資。計有18個系，三個研究所，學生正規生7200人，函授生7500人。校址共有三處，其在曇華林校址即為原華中大學，文華圖書館學專科學校，文華童了軍專科學校，文華中學舊址。我老家（宿舍）也在其中。（按：文華圖專學校併入武漢大學，文華公書林、華德樓等文華圖專硬體則併入華中師範大學。）

此校圖書館有二所，爲邵逸夫捐款興建者則稱爲逸夫學苑，二館館藏 180 萬册，工作人員 110 人。

9 月 15 日

飛抵上海。
住新錦江飯店（Jin Jiang Tower）。

9 月 16 日

乘火車赴杭州，住杭州西湖國賓館，此處爲高級招待所。專供招待國賓之用，閒人不能出入，我們16人能住進去，不知道是運用了何種關係。

參觀浙江省博物館（原文瀾閣舊址），該館正在舉辦臺北故宮博物院書畫名跡展。晚餐在樓外樓，由浙江省文化廳副廳長毛昭晰招待。他身兼浙江省圖書館學會理事長及杭州市圖書館學會名譽會長。此公專修歷史，第二天要飛日本，而且背部受傷，仍然扶病前來接待，盛情可感。浙江圖書館界參與餐會的有浙江省圖書館學會秘書長項戈平，浙江省文化廳圖書館處長蘇爾啓，浙江大學國際交流合作中心嚴文興教授。嚴教授是嚴文郁教授堂兄弟，已經八十多歲高齡，寶刀未老，談笑自如，有酒仙之量，爲餐敍增加不少風趣。

9 月 17 日

由杭州乘火車去上海，仍住新錦江大飯店，這家旅館是第一流的，有世界水準。

參觀上海市圖書館。

館址原為舊上海跑馬廳之一部份，於1952年建館。目前工作人員 650 人，藏書 800 萬冊，每天讀者2000人次。館長朱慶祚原在科學院服務，擔依此館館長不到一年，但對於業務已能全盤掌握，對我們簡報一小時以上，足見其人對於公務之認眞。榮譽館長顧廷龍為一元老級學者，今年高壽已達87歲，仍然出任全國善本書總編。退休副館長陳石銘為我在文華同班同學，43年睽違，他已滿頭銀髮。但其動作、談吐與做學生時沒有差別。因為我來上海，他也應邀前來參加座談及簡報，使我欣慰不已。

晚餐在金谷園，主人為上海文化局副局長楊振龍。由朱慶祚館長，華東師範大學圖書館學情報學系名譽系主任陳譽敎授，上海圖書館副館長孫厚璞等圖書館界人士作陪。

回到新錦江大酒店文華校友顏澤湛（學長）、胡佑身（同班）、何建初、賈肇晉（均為學生）到房間來看我，長談至深夜。

9 月 18 日

參觀華東師範大學圖書館。

新館定名逸夫樓，為邵逸夫捐款興建，總面積 12660 平方米，

設有自然科學、社會科學等閱覽室，藏書 260 萬册，館員 160人，
其中大專畢業者佔70%。新館位置在兩條小河中間，別具風格，
共十層。 1-4 樓藏西書， 8-10 樓藏古籍，5-6 樓爲樣本書庫。

　　所謂樣本書庫指各類書存一本在此庫，書籍不能借出館外，
祇能在館內閱讀，進入樣本書庫一次以十二人爲限。在實質上樣
本書庫等於大型指定參考書室（Reserve Room）。在港臺圖書室
中館員找到我的拙著 "圖書，圖書館，圖書館學" 一册，乃應邀
簽名在書上留念。同時爲自己的著作簽名者有王振鵠、林孟眞及
盧荷生三位敎授。

　　榮譽館長陳譽敎授與我同爲 International Journal of Re-
views in Library and Information Science 的編輯顧問。他在
國內外都是知名之士，甚受學術界尊重，他講話有條有理，「情」
「理」「法」兼顧，實在是不可多得的人才。

9 月19日　　自由活動。

9 月20日　　他們13人回臺北，我則去廣州。

9 月21日　　抵達廣州和舍妹一家團聚。

9 月 22 日

　　參觀廣東省中山圖書館並舉行座談，由廣東省中山圖書館館
長黃俊貴主持。他身兼中國圖書館學會秘書長，出席座談及聚餐
者圖書館學者專家有中山大學情報學系敎授周連寬（文華學長），
廣東省圖書館學會會長商志馥，中國圖書館學會副理事長譚祥全，
中山大學圖書館副館長趙希琢，廣東省中山圖書館副館長趙平，

廣東圖書館學刊主編黃國安、蕭先生,中山大學圖書館副研究員李
峻聆(文華校友,我的學生),中山大學圖書情報學系講師程煥文
（他正在撰寫先父　祖榮先生傳記,已發表一部份)和舍親二人。

中山圖書館建築面積 32860 平方米,閱覽室15間,閱覽席次
1500 個,藏書 250 萬冊,工作人員 150 人。

9 月 23 日

乘中國民航 7019 號班機抵香港轉國泰 CX564 返台。

「一人所見」「一家之言」

在本文開始我就指出我們14人這次大陸之旅是海峽兩岸圖書
館界第一次大規模接觸。我加上「大規模」字樣,是因為除了1982
年澳洲之會、IFLA、ALA 年會等國際會議,僅就今年而論尚有
淡江大學黃世雄、黃鴻珠兩位教授和（另一批）陳興夏、楊美華、
李美月等圖書館長前後訪問過大陸。王振鵠兄以圖書出版界顧問
身份在八月份和書局大亨先行前往,順便也安排了我們這次的行
程。他們加上我們這次的13位教授,都會有各自的意見和看法。
我這篇不用大腦隨手寫來的文字,祇能代表我自己,我喜歡直話
直說,希望我不會因此而得罪了大陸同行。總結此行我個人的觀
察意見如下:

1.大陸讀書風氣良好,不僅圖書館有不少讀者(公共圖書館,
大學圖書館都是一樣）,書店中更是擠滿了人。

2.大陸重視圖書館專業人員的地位，沒有「教高於職」的觀念，若干大學教授轉業到圖書館服務，還欣然自得，是我過去不敢想像的。領導階層，如杜克、黃俊貴、王振鳴等多人名片上都加上研究館員字樣，放在姓名下端好像這個頭銜比司長、館長、副校長職位還要重要顯赫，這種心態值得學習。

3.大陸圖書館硬體，尤其是邵逸夫捐贈的幾所新館共十所，我們沒有機會和時間逐一訪問，都是精緻玲瓏，美觀合用。若干較舊圖書館（有幾所正在建造新館之中）則不合水準，我的大致印象是「建設可觀，維護不足」。

4.大陸圖書資訊界同仁，特別是院系教授，研究寫作可謂全力以赴，寫作出版如雨後春筍，值得欽佩，但也有兩項缺失。第一，缺乏長程的計劃。若干圖書 O.S. 之後，即等 O.P. 這是學術上極大損失。其中，大陸學人不太習慣在著作後附載完整書目。文獻中也很少看見註解。似乎與我們的研究方法不大一樣。

5.大陸圖書館藏書豐富，但計算方法和我們不同，書藏中外文書刊還可以加強利用外國的參考書並不等於崇洋，因為世界已經縮小了，「知己知彼」是必要的。

6.大陸很多大學都有自己的出版社，這是胡述兆教授一向的強烈主張，想必他和我一樣有很多感慨。大陸肯做，我們為甚麼不能。但是大學出版的書籍在新華書局買不到，這是一項缺點，相信將來情形會改變。

7.大陸圖書館事業欣欣向榮，中國圖書館學會貢獻不小，學會會員遍及全國，聲勢浩大，聽說會員不繳會費，祇交極少的資料費，即令如此，繳資料費的仍然寥寥無幾。經費不夠由文化部

和各省文化局津貼，王振鳴與何洋二兄陪我們全程旅行，沒有碰到我們一塊錢的經費，食宿自理，王振鳴兄告訴我們，他們會向文化部報帳。

此外，我更將個人看到大陸社會的部份情況，略爲報告。

A. 大陸都市青年很重視穿著，也相當新潮。

B. 公權力行使，沒有困難，常常看見「違則罰款」字樣，眞有嚇阻作用。例如吐痰、亂丟字紙、菸頭等情況在大陸是看不見的。

C. 「守望相助」徹底實行。我在北京文化街看書時，因爲覺得勞累，拿瓶可樂坐在路旁石階上飲用時，就忽然來了一位臂帶紅巾的老太太跑到我面前，要我喝完後，不要忘記把空瓶丟進垃圾箱裏。

D. 在大陸時，大家都感覺到最不方便的是看不到報紙。對於波斯灣局勢，和臺灣又有颱風的消息幾乎一無所知，祇好彼此詢問打聽。到了廣州住到舍妹家中，她訂有報紙，這個小問題才算解決。

E. 在交通管制上，大陸很有一套，路燈號誌上印有汽車，自行車，行人圖樣，很是醒目。規定自行車不能越過規定黃線（「違則罰款」），幾乎沒有人敢以身試法，公共汽車除靠站外，車身上面以大字標明「招手上車，隨時下車」字樣，車費一毛錢人民幣，極爲公道。

我的報告限於題目和篇幅，完全沒有提到 "交流"。這並不表示我們祇去觀光，沒有交流。和大陸同仁之間我們曾舉行多次座談，王振鵠兄將我們圖書館情況作通盤簡報，胡述兆、盧荷生、吳琬璃三位敎授報告 "臺灣圖書館專業敎育"，李德竹，林孟眞

二位教授則報告 "臺灣圖書館自動化作業" 都極爲精彩，討論情況也極爲熱烈，自由活動時間多半去看書店。

總之，這次大陸之旅，可謂收穫甚豐，我個人更是不虛此行。我最高興的是在每一站都能看到自己的學生、同學和學長，每天晚上都有他們來訪，常常談到深夜，他們每一個人都是站在專業的崗位上奮鬥，他們代表了文華的榮譽，看見他們是我慶祝文華70 週年最好的紀念。

附 註

「本是同根生」是曹子建的詩中摘錄爲了避免產生非我本意的聯想，我寫出下列打油詩：

「埋首圖書裏，

人心想統一，

本是同根生，

交流應積極。」

10. 有關海峽兩岸圖書館人士 紙上座談的省思

王教授振鵠兄提出「海峽兩岸圖書館界人士紙上座談」是個好主意。他要我寫一篇簡單的文字，我自然樂於應命，以下是我個人發自內心深處的意見。

一、「談」的必要

首先，「談」總比「不談」的好。

現在海峽兩岸我們的同胞都要求和平統一，怎樣才能完成這個神聖的使命？除了大家心平氣和的坐下來談，沒有第二條可以走得通的路。

其次，「談」是我們圖書館界專業人員的本能。

圖書館學是一們重視「溝通」的科學，整個圖書館運作的精神就是建築在「如何溝通」的基礎上。讀者服務以「參考對話」為第一要項，原因在此。所謂參考對話就是「談」，勝任愉快的圖書館員必然是「談」的能手，如果我們海峽兩岸的圖書館界人士能夠開風氣之先為「談」開路，才能期盼其他的行業跟進，這是帶頭作用，我們責無旁貸。

第三，現在正是「談」的時候。

資訊時代的出現，使得大館思想破滅，館際合作應運而生。合作是要先「談」，先商量的，我覺得與其和老外談合作，不如

先和自己人「談」合作，然後一致對外。

再說過去幾年來，雖然我們海峽兩岸的朋友有若干接觸，(例如1983年的澳洲之會，1990年我們十四位同仁的訪問之行，1992年的西安之會等)，但是由於行程和議程的限制，總覺得「談」的時間少了一點，振鵠兄的倡導，正好彌補了這個遺憾。

二、「紙上座談」

在通常情形之下，舉行紙上座談，因為參與者彼此不見面，在動筆時又無法事先得知別人所寫的內容，往往會發生某些困擾，例如：

● 各說各話不容易找到接觸點，若干需要深入討論的主題，受到不能及時間答和解釋的限制，無法充份發揮。

● 基本觀點，尤其實際建議事項往往會有雷同的情形出現。

不過上述兩項可能發生的現象，對我們這次的紙上座談並沒有影響，我覺得：

1. 這次紙上座談是過去不敢想像的創舉，能夠把散處天南地北，甚至從未見面的朋友變成文字交，這個事實本身就是成功。

2. 即使大家所想到的會有大同小異的情形，這也無傷大雅，「英雄所見略同」顯示一種共識，這些意見必然是重要的，而且也是需要採取行動的。

3. 「紙上座談」這是第一次，但是並不見得就是唯一的一次，如果有必要，深信振鵠兄會召集第二次、第三次，下次再談不是已經看見了其他諸位這次寫的文字麼？

三、怎樣來「談」

　　口談不易，明哲保身的人都知道「少說話，多做事」的好處，但是筆談更加困難。在參加某些會議時，我最怕講話之後，還要寫發言條，老實說，黑字寫在白紙上比 read my lips 的風險更大，這些話雖然是我脫口而出的不經之談，但是我們這些參與紙上座談的人，仍然要有點心理準備。

1. 我們不能寄望太高

　　雖說「天下大勢，分久必合」，但是我們不能否認海峽兩岸同胞四十多年一直「分居」的事實，對岸的同行從來沒有親眼看見這邊的圖書館，我們少數人去過大陸，但是每次都是走馬看花，我們的了解究竟有多少？如果希望一次紙上座談就能把應該討論的問題迎双而解，是做不到的。

2. 我們在開家庭會議

　　這次紙上座談，聽說海峽兩岸圖書館界各有十位同行參加，但我不願意被外界人士誤解爲「他們十人」，「我們十人」的「對談」，過份強調「從那裏來」是本位主義在作祟，我們這次紙上座談是二十位炎黃子孫，龍的傳人，在開家庭會議。我覺得我是以家庭一份子的身份對十九位兄妹手足發言，我們應有的心態是自家人「有話就講，無所不談」，更是將心比心的「懇談」。

3. 我們要珍惜這次「談」的機會

就「談」的演變而論，我們走過一段漫長崎嶇的路，四十幾年來光陰虛度，海峽兩岸「談」的流程如左：

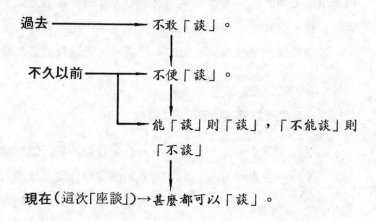

過去 ————————→ 不敢「談」。

不久以前 ————————→ 不便「談」。

————→ 能「談」則「談」，「不能談」則「不談」

現在（這次「座談」）→甚麼都可以「談」。

由於這個流程的示意，我可以肯定的說從過去的不相往來到現在的推心置腹，攤開來「談」是一個大躍進。

我覺得這次紙上「座談」不僅加強了海峽兩岸圖書館界的接觸，而且造成了一種良好的氣氛。我們目前的問題就是要盡力保持和加強這種良好的氣氛，在人際關係上，我覺得與自家人相處和與外人相處不同。「血濃於水」，自家人好商量，好好的「談」才能達到「家和萬事興」的目的。

怎樣來「談」？我覺得這與心態有關，我記得小的時候曾經讀過「毋意、毋必、毋固、毋我」，換成白話說就是：

● 不妄自揣測。

- 不期望必然。
- 不固執己見。
- 不偏袒自己。

這些話也許有點予人「還活在過去的時代」的感受。因此我用我自己的話來表達自家人要如何相處：

- 無比的耐心。
- 無窮的愛心。
- 無限的信心。

四、「談」了以後

照說，「談」要提出具體建議，我却無意列舉，一則，他們十九位都會有寶貴的意見，我不必班門弄斧。再則，我過去也做了若干事，有的部份實現，例如文字交流，此地的學報、會刊都曾經登載大陸學人的大作，我也曾經協助大陸同行的專著在臺北出版。我寫的文字也承湖南省圖書館月刊轉載，有的運作碰壁而歸，例如邀請大陸學人訪視講學等，這是因爲時機尚未成熟，不能怪誰，更有加強海峽兩岸圖書館界文化交流的構想，正在有關單位和團體積極籌劃之中，似乎不必由我多此一舉搶先報導。不過，我不提出具體建議，並不表示我沒有意見，我心中有幾句話不吐不快。

只要是中國人都渴望「統一」，都講只有「一個中國」，但我不能了解的是大家似乎都在廻避「中國」這兩個偉大神聖的字。我和舍妹通信在信封上只能寫廣州××路×號，她的來信信封也

只能寫臺北××東路×巷×號，好像我們是希臘時代城市國家的人民。這當然不是我們圖書館界能夠過問的事，但是如果海峽兩岸的圖書館專業組織也被扯了進去，成了遭殃的池魚，那就是我們的事了。我們回去尋「根」時，曾經接受大陸中國圖書館學會週全而且熱情的款待，這種隆情高誼使我們永遠銘記於心，希望大陸圖書館界的朋友也能接受這邊學會伸出的雙手，在國際會議中如果為了名稱和會籍爭執是「兄弟鬩牆」，對海峽雙方都沒有好處，徒然予國際野心份子挑撥離間的機會。現在情形已經好得多了，但是要達到理想的境界還有待海峽兩岸的同行繼續努力。

　　和「中國」兩個字有連帶關係的也是兩個字——「國立」。我們這邊有國立中央圖書館，是從大陸遷移來的，統一以後，將來還要搬回去，這邊早已建立了臺灣分館。我在國立臺灣大學任教，在口頭上我們簡稱為「臺大」而不稱為「國臺大」，同樣的國立中央圖書館簡稱是「央館」而不是「國央館」。臺灣的教育有公私立之分，因此有「國立」、「省立」、「市立」、「私立」這些名稱的出現，現在這些公私立學校差距慢慢在縮小，總有一天所謂「國立」、「省立」、「市立」、「私立」會被看成校名的一部份，而不像過去和現在那樣具有實質的意義。大陸的學府例如華東師範大學等，都沒有加上「國立」兩個字的帽子，要我們臺大的教授在大陸開會時也脫掉「國立」的帽子，我覺得兩邊是平等的，一個學府的地位不是專門靠着戴這頂帽子就夠了的。不用這兩個字，臺大還是臺大，大陸的教育制度和臺灣不大一樣。我不是不知道大陸的學校多數是公立的，但我寧可不這樣想，我希望海峽雙方的朋友都能淡化這件事。

　　這次在巴塞隆納舉行世運，臺灣的報紙都大幅登載大陸選手傑出表現的報導，電視新聞也復如此。大陸女籃得到世界亞軍時，臺北的吳經國代表大會授以銀牌。中華成棒得到銀牌時，海協會唐樹備在賀電中指出「這是全體中國人的榮譽」。我由圖書館事業一下跳到世運，一方面這表示海峽兩岸的關係越來越接近，越來越友好，另一方面我們圖書館界也要急起直追，不要讓體育界跑到我們前面去。

　　我這篇文字，拉雜而沒有組織‧希望大家有耐心看下去，我內心充滿同胞愛，反而不知道如何着筆。如果說錯了話，希望取得諒解，有一位教授對我說：「我們都是有大陸情節的人」。這句話沒有錯，國家統一是必然的趨勢，我們彼此要有信心。

　　附註：文字內容完全由筆者負責。

11. 漫談早期歐美圖書館的歷史

——從 1850 年代說起——

> 以銅為鑑，可以正衣冠。
>
> 以古為鑑，可以知興替。
>
> 以人為鑑，可以知得失。
>
> 　　　　　　　唐　書

一、寫作的背景

　　公共圖書館是圖書館事業的主力，我想寫一篇有關歐美公共
圖書館早期歷史的文字，已經有一段不短的時間了，只是遲遲沒
有動筆，這是因為受了兩個歷史上重要哲人思想的影響。查士特
菲伯爵（Philip D. Stanhope, 4th Earl of Chasterfield
（1694—1773）在其與兒子的家信（Letters to His Sons

1774) 中指出「歷史不過是一堆扯不清楚的事實而已」（ A．
Confused heap of facts ）❶，這本舉世聞名的家信集是他死後
一年才出版的。其在西方國家文壇中的地位，好像我國的曾國藩
家書，更爲嚴重的是超人哲學家尼采（ Fredrich W. Nietzsche
1844 — 1900 ）的意見，他以譏諷的口吻說：「只有老人才會在
過去的光榮中尋求安慰」❷。他的話擊中了我的要害。當然上述
兩例僅僅是「只看未來不管過去」的少數極端份子而已。卡萊爾
（ Thomas Carlyle 1795 — 1851 ）這位 19 世紀後半最偉大的作
家在過去與現在（ Past and Present 1843 ）一書中就斬釘截鐵
的說「歷史是一切科學的根源」❸傑佛遜（ Thomas Jefferson
1743 — 1826 ）是一位美國歷史上對圖書館事業支持不遺餘力的
總統，在他的文集中也對歷史有正面的看法，他說「歷史能夠讓
我們衡量過去，也可以使我們能夠預評未來」❹。前哈柏思雜誌
（ Harpers Magazine ）主編，寇提司（ George W. Curtis 1824 —
1892 ） 則更爲積極，他指出「當我們在讀歷史的時候，我們也
在製造歷史」❺。這句名言是他在自由的呼喚（ The Call of
Freedom ）一書中寫的文字，他後來出任紐約州立大學校長，
由於這些先賢名家的感召，我決定不揣冒昧的寫這篇乏善可陳的
文字。

二、篇名的澄清

　　書府的編輯同學們要我寫一篇不拘題目的文章，我略加考慮
之後答應了下來，我一向鼓勵學生研究寫作，書府又是辦得不錯

的大學校園的出版品，曾經得過多次的新聞局獎勵，因此我立意
寫這篇漫談早期歐美公共圖書館的歷史——從 1850 年代說起，
顧名思義本文受到四項限制：

    1. 篇幅的限制。

    2. 地域的限制。

    3. 時間的限制。

    4. 內容的限制。

    就篇幅而論，書府是一本大小適中玲瓏可愛的專業學生刊物，
我不可能寫得太長，也沒有足夠的時間詳加討論。

    就地域而論，我在篇名上加了歐美字樣，唯一用意是避免涉
及我國，因為國內專業文獻中已有嚴紹誠教授的著作中國圖書館
發展史和盧荷生教授所寫的中國圖書館事業史，我沒有畫蛇添足
的必要。

    就時間而論，我在篇名上明確指定「早期」，副篇名則採用
「從1850 年代說起」字樣 ，而沒有說到什麼時候為止。就是給
自己預留一點伸縮的餘地。換言之，我隨時可以叫「暫停」而擱
筆。

    就內容而論，書府的編輯幹部是臺大圖書館學系一群優秀的
學生，我們師生之間無事不可以溝通，無話不談，而且不拘形式，
而這篇文字的主要讀者正是我的一群學生，我心裏怎麼想，筆下
就可以怎樣寫，完全不考慮寫作的 style ，因此我在篇名的末尾
摒棄「研究」，而在頭上加一頂帽子——「漫談」。

三、1850 年代是西方國家公共圖書館事業的關鍵年代

我在副篇名中加進 1850 年代字樣，雖然有時間限制的意思，但還不是主要原因實際上更重要的理由是 1850 年代是西方國家公共圖書館事業的關鍵年代，這點若干學者專家似乎已經取得共識。

杜特載（Barry Titterdell）在公共圖書館宗旨（Public Library Purpose）中指稱「美國公共圖書館運動真正開始的時間是在 1850 年代那時波士頓（Boston）市的地方士紳領袖建立了波士頓公共圖書館」❻。強森（Elmer D. Johnson）在其名著西方世界圖書史（A. History of Libraries in the Western World）一書中，將歐美公共圖書館的歷史分開為兩個不同的章回中討論，在該書的第 12 章自 1850 年以來的歐洲公共圖書館，一開始他就說：「在討論自 1850 年代以來的歐洲圖書館發展之先，我們似乎有必要搞清楚公共圖書館這個名詞的定義」。又在第 17 章美國的公共圖書館中他說：「在 1850 年以前，以公家經費運作，讓讀者免費借書的圖書館絕無僅有」❼。這是一個奇異的現象，歐洲與美國遠隔重洋，但是公共圖書館事業却差不多在同時發動。威廉斯（Patrick Williams），這位曾經在臺大圖書館學系所擔任客座教授的學人，在他的著作美國公共圖書館的宗旨問題（The American Public Library and the Problem of purpose）中，所寫的第一章第一句話就明白的指出「美國公共

圖書館的現代史，從波士頓開始，其確切的日期是 1854 年 3 月
24 日」❽。

四、 1850 年代以來的歐洲公共圖書館

1. 一般的情況

　　歐洲公共圖書館和美國公共圖書館都在 1850 年代創立，不
能說不是巧合，但是以後的成就却大不相同。這種情形在 1850
年到 1890 年之間尤其顯著，和美國的進展比較，歐洲好像在以
牛步行進，前述的強森對於這種情勢大為不滿。他說，這些所謂
的歐洲公共圖書館都具有三項共同的特徵❾：

　　(a)圖書館建築破舊不堪。

　　(b)館員既無經驗，更缺乏工作熱忱。

　　(c)館藏大部份是神學之類，讀者不感興趣的書籍。

不過他也以原諒的口吻解釋，這些公共圖書館的基礎本來就有問
題，有的是從私人圖書館捐獻而來，部份由寺院圖書館改制而成，
更有若干從專業特藏搖身一變而成為公共圖書館❿。

2. 1850 年代的英國公共圖書館

　　就公共圖書館而論，1850 年代的英國情況極為特殊 ，根據
強森報導，英國自稱遠在 1850 年代以前就設立了公共圖書館，如
Norwich 市（ 1608 ） Bristol 市（ 1615 ）， Leicester 市
（ 1632）等，但強森認為這些公共圖書館有名無實只是掛了一塊

招牌而已。因爲書藏大部份是神學書籍又不許流通出借，因此圖書館門可羅雀，無人問津 ❿。另外一個奇特現象是在 1740 年代，英國社會中流行所謂租書圖書館（ Commercial Circulating Library ）和會員制圖書館（ Subscription Library ）❿，前者有一點類似現在美國公共圖書館所採用的出租書藏（ Rental Collection ），所不同者美國公共圖書館爲了因應讀者需求而採購複本，所收取費用在達到書價時，就將該書從出租書藏中撤出，成爲不收費用的流通書，這種措施是臨時的，英國的租書圖書館則相當於我國現在的租書店，後者收取會費，多年依每月或一年計算，因此也算不得公共圖書館。

學者專家認定 1850 年代是英國公共圖書館眞正創建的日期，因爲就在那年，英國國會通過了公共圖書館法案(Public Library Act)，允許在公民人數達到一萬名的城市，可以收稅作爲建立公共圖書館的經費 ❿。

3. 1850 年代的法國公共圖書館

1850 年代， 法國的公共圖書館情況甚至不及英國，這主要是受了法國大革命（ 1789）的影響。法國大革命開始時，就將所有寺院圖書館收歸國有， 1792 年更進一步的將貴族與若干私人藏書充公。強森（ Johnson ）估計受到影響和損傷的法國圖書在八百萬册以上， 1830 年法國政府曾經打算將公共圖書館附設在公立學校之中，沒有成功，英國的會員制圖書館制度雖然傳到法國，但也只能在巴黎流行。 1850 年以後巴黎成立了若干袖珍型，"通俗"圖書館（ Popular Libraries ），在 1908 時約有 80 所，

這些似館非館的單位在法國首都建立，通常只有若干册藏書，這
些所謂的通俗圖書館沒有像樣的建築，有時還是由租借而來，每
週開放時間也不過幾個小時而已 ❹。

4. 1850 年代的德國公共圖書館

　　1850 年代的德國還是諸侯林立的國家，這種分裂的情況一直
維持到 1970 年代，這些小國所關心的僅僅是建立各自的國家圖書
館，因而忽略了公共圖書館。德國的圖書館建設運動重心始終放
在學術和研究方面，自 1850 年代以來，德國已經成為若干偉大
圖書館的基地，重要縣市則早已紛紛成立地方性圖書館，例如
Ulm（1516），Hamburg（1529），Grimma（1569），
Danzig（1580）等地 ❺。德國當時的問題，與其他歐洲國家不
太相同，英法等國是根本沒有公共圖書館，德國則是有圖書館，
直待「門前一腳」將這些僅供少數特權階級才能利用的知識樂園，
蛻變為人民大眾的書香搖籃。馬丁路德（Martiw Luther（1483-
1546)不愧為先知先覺的人物，在 1542 年他就提出建立公共圖
書館的主張，雖然他的主要目的在於傳播福音，但就對公共圖書
館建設運動而言，他的貢獻仍然值得我們欽佩。1828 年 Grossen-
hain　市開風氣之先，成立一所可以流通通俗讀物的圖書館，
至 1850 年時柏林至少成立了四所類似的圖書館，條頓民族的確
不可以輕視。

5. 1850 年代的俄國公共圖書館

　　1850 年代的俄國公共圖書館無論從那個角度來看，都是不

入流的，這是由於兩大原因。首先，一直到十六世紀，俄國還沒
有脫離蒙古統治的陰影，另一方面歐洲文藝復興運動並沒有將俄
國包括在內。因此就圖書館建設而論，尤其是公共圖書館運動方
面，強森（ Johnson ）估計俄國要比西方國家落伍至少兩百年⓯，
到十九世紀俄國人不僅對公共圖書館毫無概念，就是寺院圖書館
也是寥寥無幾。根據俄國自己的統計，到 1880 年時境內共有公
共圖書館 145 所，藏書總數不及一百萬冊， 1905 年時俄國公共
圖書館數字激增爲 5000 所 ，但是藏書數量仍然有限，有的圖書
館藏書只有 50 冊⓱ 。

五、1850 年代以來的美國公共圖書館

1. 美國公共圖書館事業的崛起

論及公共圖書館的歷史， 1850 年代是重要關鍵時期，專家
學者密切注意這段時期並不是因爲歐美的公共圖書館事業差不多
在同一時間起步，而是由於美國迎頭趕上一鳴驚人。換句話說，
美國的公共圖書館運動是主角，歐洲公共圖書館事業只能看成陪
襯的配角，自 1850 年代以後，美國圖書館事業，尤其是美國的
公共圖書館儼然以世界盟主的姿態出現，這不是偶然的。美國公
共圖書館的誕生聖地是波士頓，所以威廉斯（ Williams ）的專
書（請參見❸）的第一章，就以波士頓模式爲章回的名稱，他內
心中的榮譽感可想而知。強森（ Johnson ）則以更坦率的口吻指
稱：「波士頓公共圖書館的創建，爲公共圖書館事業奠定一個鞏

固的基礎」⑱。

2. 波士頓公共圖書館的出現

波士頓公共圖書館能夠成立，而且成為最傑出的公共圖書館完全是事在人為的結果。

A. 市長卓越領導

1850 年代波士頓市接連由三位賢明市長主管市政⑲。

昆西（Josiah Quincy）是一位極為重視圖書館運動的地方行政首長，他曾經要求市議會成立小組，研究成立市立公共圖書館的可能性（1847）。更鼓勵市議會轉請麻州議會同意，並撥付專款成立公共圖書館（1848）。

昆西的繼任者皮格陸（Bigelow）私人捐獻美金一千元，作為補助公共圖書館的經費（整理法國人法特碼（Alexandre Vatemaren）所送來的交換圖書）（1950）。

薛福（Benjamin Seaver）則咨文市議會，要求指派市立圖書館館長以及市立圖書的管理委員會人選（1952），薛福是皮格陸的後任市長。

B. 議會大力支持

如果沒有市議會支持，1450 年代先後三位市長的努力可能會徒勞無功，當時的市議會不乏在野黨的議員，但是他們都能識大體，不願為反對而反對。昆西市長提出成立研究小組的要求，市議會欣然同意，這個案件在 1847 年年中提出，1847 年年底小

組就提出同意成立的報告。昆西在 1848 年 1 月要求成立市立公
共圖書館並請撥付創辦經費，當年 4 月議會同意建立市立公共圖
書館，並且撥付經費美金五千元。 1852年2月薛福市長要求指派
市立圖書館館長以及管理委員會委員，同年 5 月市議會決議派任
凱彭（ Edward Capen ）牧師為波士頓市立圖書館首任館長，社
會賢達埃覆來（ Edwand Everett）以及狄可勒（George Ticknor)
等人為委員。曾任哈佛大學校長、麻州州長、美國駐英公使等要
職，狄可勒則是哈佛大學名教授。

C.　民間熱烈響應

波士頓公共圖書館在初創的時候就獲得民間熱烈的響應與支
持，貝茲（ Joshua Bates ） 的慷慨捐輸就是一個例子。貝茲出
身於一個貧窮的環境，他在青年時代想讀書而沒有錢買書，後來
逐漸發跡而成了富翁，長年居留英國經營銀行，當他得知他的故
鄉波士頓正在積極建立公共圖書館時，他立即通知管理委員會表
示願意在有生之年，每年捐出大量金錢作為購買圖書資料之用，
這段佳話威廉斯（ Williams ）曾有詳細報導 ❷。

波士頓公共圖書館也沒有辜負貝茲之類熱心社會人士的期望，
自 1854 年 5 月 20 日正式開館以來，圖書不斷增加，乃從Mason
street 的原來館址遷移至Boylson Street 的新建大樓（ 1958 年
1 月 1 日）。新館區分為兩部份，上館（ Upper Hall ）藏書 20
萬冊，為一學術研究特藏的圖書館，下館（ Lower Hall ）藏書
千萬冊，全部為通俗流通書籍並設閱覽席次，可供 300 名讀者使
用。 1886 年下館出借圖書 183,714 冊，其中 70 ％為小說，1887

年書藏增加至 30 萬冊，書庫已不夠應用，乃於 1888 年再度遷移
至 Copley Squar 同時建立分館 6 所，圖書流通量總數至此時已
超過一百萬冊。

D. 早期美國公共圖書館運作情況

　　早期美國公共圖書館的運作情況，如果以我們現在的眼光來
看，當然多半是不合標準的。根據強森（ Johnson ）的研究報導，
1850 年代的美國圖書館在編目方面只是簡單的登記簿，或依字
順排列的書單，分類方面則將圖書組織成為記憶（ Memory ）、
理性（ Reason ）和想像（ imagination ）三大類，顯然是受了
培根（ Francis Bacon ）學術分類的影響。所不同之處在培根的
三大類是歷史（ 根於記憶 ）詩歌（ 根於想像 ）哲學（ 根於理性 ）
㉑，曾經擔任哈佛大學圖書館館長的哈里斯（ Thaddeus M. Har-
ris ）就曾利用這個三分法編製了選書書目，不過他拓展了培根
學術分類的領域，第一類記憶包括歷史、傳記、旅遊，第二大類
理性包括科學、哲學、宗教，第三大類想像，包括詩歌、戲劇、
小說和藝術，他這本書目定名為 Selected Catalog of some of
the most esteemed publications in the English Language
proper to form a social Library ㉒。他所選的好書精華只有
81 冊，這可能是最早的選書工具，在當時的價值可能相當於我們
現在的公共圖書館標準書目 Standard Catalog for Public Li-
braries 。 另外一件值得一提的事是圖書交換（ 請參見五 2 A),
威廉斯（ Williams ）報導法國人法特碼（ Alexandre Vatte-
mare）在 1850 年代 ，經常橫渡大西洋來往於法國美國之間，他

積極推動美法兩國出版品交換，他從法國帶來的書用途不大，以
下是幾個例子：

　　1841 至 1844 當鋪帳目表　二冊

　　組織屠宰廠委員會報告及屠戶管理規則

　　出售劣酒管理規則

　　巴黎市下水道陰溝分佈圖

　　波士頓公共圖書館送往法國交換的圖書則有：

　　緬甸文三角學課本

　　泰國文新約全書之類的圖書。

　　這種交換，威廉斯（Williams）稱為圖書館清除廢書
（Weeding）的最好方法❷。

　　E.　早期美國公共圖書館的成就

　　波士頓公共圖書館自 1854 年創立以來就一炮而紅，可說成
就非凡，但是波士頓公共圖書館真正偉大之處不僅是運作而是創
立了一套支持這些運作的理論。其靈魂人物是前面所提到的狄可
勒（George Ticknor），在接受波市議會任命作為市館管理委
員會委員時，他堅持即將開辦的波士頓公共圖書館必需採取免費
流通圖書的政策，甚至以個人的進退作為講條件的籌碼。市政當
局不能不接受他的建議，這是 1852 年 2 月的事。同年 7 月他主
筆提出一項報告說明波士頓公共圖書館建立的目的是要成為一個
社教機構，與公立學校系統密切配合，我認為他這項報告是陳述
公共圖書館宗旨的最早文獻❷。這一報告中同時指出波士頓公共
圖書館的書藏可以區分為三大部份：

● 參考書

● 少數人願意閱讀的書籍 （指學術性書籍）

● 一般及通俗讀物（主要指小說）

在前述中（請參見五、2、C）我曾經列出統計數字，說明波士頓公共圖書館在 1866 年的圖書流通量，已達到 183,714冊，其中70％是小說，這種現象引起了各方的關懷。如果讀者大衆只看小說，教育的功能究竟在那裏？當時的波士頓圖書館的公開立場是「大量流通小說是不可免的」，在一項報告中館方指出：「如果我們排斥了小說，我們也趕走了讀者，我們保留小說，同時也挽留了讀者。他們的閱讀興趣會提升的，最後他們會看有價值、有教育功能的書」⑳。這種思想就是後來所謂的「閱讀興趣提升說」（ Taste-elevation Theory ）。

小說在公共圖書館書藏中的重要性究竟如何？休閒讀物的教育功能在那裏？在早期的美國公共圖書館中引起了軒然大波，威廉斯（ Williams ）甚至以「小說問題」作爲他的著作第二章的名稱，編製索引的開山老祖蒲爾William F. Poole 在美國圖書館協會Buffalo 市年會中演講時說：「 在我還活着的時候，如果公共圖書館不願繼續負起社教機構的責任，而僅僅只能取悅讀者，讓他們打發無聊的時間，我贊成公共圖書館關門」㉖。賓州德國城（ Germantown ）公共圖書館館長凱特（ William Kite ） 的作風，是他的圖書館不收藏任何小說。此館到 1892 年時還不收藏成人小說，根據美國圖書館協會 1881 年的調查，在 30 所公共圖書館中足足有 20 所公共圖書館，以有傷風化的理由拒絕收藏雷諾（ G.W.M. Reynolds ）的作品。格蘭（ Caroline H. Garland）、多佛市（Dover）公共圖書館館長在A.L.A.年會中提出的論文中就有這一句話：「很多人需要普通的書，因為他們祇是普通平凡的人而已」。她是贊成圖書館收藏小說的㉗，這些運作和辯論為以後的圖書館事業埋下了問題的種子，休閒讀物和教育、文化、資訊的資料怎樣銜接？圖書館是否有權利審查圖書的內容，我這樣說，完全沒有批評的意思，相反的，我對早期美國公共圖書館的活力與朝氣深表欽佩。

1850 年代的美國，不僅公共圖書館做得有聲有色，圖書館事業的整體也在起飛。1876 年是成果豐碩的一年，就在那年美國圖書館協會成立，圖書館學報（Library Journal）也開始發行，同時聯邦教育單位也編製了一本美國的公共圖書館：它的歷史情況與運作（Public Library in the U.S.A. Their History, Condition and Management），這本 1187 頁的鉅著，威廉斯說這本書就是早年的美國圖書館學百科全書㉘。

六、寫在後面

這篇文字寫到此處已經有幾千字了，似乎應該暫時停筆，因為這是「漫談」，我無意、也不會做結論，我只想到一兩個問題，提出來，希望我的學生讀者和我共同思想。早期的歐美公共圖書館在 1950 年代同時起步，結果美國跑在前面，歐洲丟在後面，誰先誰後，本來不關我們的事，但我不禁想到，我們有圖書館的時候，（請看西文參考資料序）美國還是印第安人的天下，今天美國是 " 資訊富 "（Information Rich ）、 歐洲（ 英、法、

德）也不 " 窮 "，在二十一世紀即到來的資訊時代，我們的國家
應該分類到 " 資訊富 " 還是 " 資訊窮 " （ Information poor），
還是「不窮不富」，我們究竟應該作那些努力才不至於丟在後
面？

附　註

❶ Hoyt's New Cyclopedia of Practical Quotations N. Y. Funk of Wagnall's, 1990.

❷ Webster's New World Dictionary of Quotable Definitions ed. by Eugene E. Brussell. N. J. Prentice Hall, 1988.

❸ 鄭振鐸，文學大綱，上海商務印書館，民國 16 年，V. 4，pp. 141-2。

❹ Thomas Jefferson writings Vol. xi, p. 223.

❺ Burton Stevenson, ed. The Home Book of Quotations. N. Y. Dodd, Mead of. Co., 1958.

❻ Barry Toterdell, Public Library Purpose. London: Clive Bingley, 1978, p. 39.

❼ Elmer D. Johnson. A History of Libraties in the Western World. New York: The Scarecrow Press, 1965, p. 194, p. 312.

❽ Patrick Williams. The American Public Library and the problem of purpose. New York: Greenwood press, 1988, p. 1.

❾ Johnson, op. cit., p. 194.

❿ Ibid., pp. 194-5.

⓫ Ibid., p. 198.

⓬ Ibid., pp. 199-200.

⓭ Ibid., p. 200.

⓮ Ibid., pp. 195-196.

⓯ Ibid., pp. 202-204.

⓰ Ibid., pp. 207-208.

⓱ Ibid., pp. 207-208.

⓲ Ibid., p. 219.

⑲　Williams, op. cit., pp. 3-5.

⑳　Ibid., pp. 6-7.

㉑　王省五，圖書分類法導論，中國文化大學出版部，民國 78 年，新三版，p. 8。

㉒　Johnson, op. cit., pp. 313-314.

㉓　Williams, op. cit., p. 3.

㉔　Boston Public Library. Report of the Trustees Boston, 1852.

㉕　Walter M. Whitchill. Boston Public Library. A Centennial History. Cambridge: Harvard University Press, p. 120.

㉖　Williams, op. cit., p. 18.

㉗　Caroline H. Garland "Common novels in public Libraries." Library Journal 19 (Dec., 1984): 21.

㉘　Williams, op. cit., p. 10.

12. 兩個杜威——
從這個杜威聯想到那個杜威

```
┌─────────────────────────────────┐
│         講臺對話小記 ❶           │
├─────────────────────────────────┤
│                                 │
│  講　員：十進制圖書分類法是誰創始的？  │
│                                 │
│  聽　衆：杜威                    │
│                                 │
│  講　員：杜威的全名是甚麼？誰知道？   │
│                                 │
│  聽　衆：………                  │
│                                 │
│  講　員：是不是 John Dewey？      │
│                                 │
│  聽　衆：這個杜威不是那個杜威       │
│                                 │
└─────────────────────────────────┘
```

一、題目的說明

　　兩個杜威指的是Melvil Dewey(1851-1931) 和 John Dewey (1859-1952) 兩位舉世景仰的偉大學人，他們生活，成名在同一時代裏，我曾經竭力檢索文獻，企圖發現他們在學術上的關係。結果是一個 total Failure ，甚至他們是否相識都沒有資料可以證明。因此在本文題目之中我只敢用「聯想」兩個字，所謂「聯

想」是我個人的意見和解釋，「一家之言」是不合乎研究論文寫作基本要件的。

　　這篇文字的另一個缺失是過於偏重 Melvil Dewey，在資料份量上 John Dewey 似乎沒有得到應有的注意，這是因為有關 John Dewey 的專書和研究論文❷，尤其是以我國的文字寫作的文獻比較的多，而且今天的研討會是以美國圖書館的教育功能為主題的。我想我的 presentation 以圖書館學專家 Melvil Dewey 為主，教育哲學權威 John Dewey 為輔，也許不會離題太遠。

　　基於上述理由，我這篇文字算不得學術論文，對各位學者、專家、教授而言，只是我的讀者報告，至於圖書館學系所的同學則不妨將它看成補充教材。

二、寫作的動機

1. 辨識問題（Idetification）

　　兩個杜威在實質上是傳記參考問題的作業，Margaret Hatchins 在她所著的參考工作導論中將傳記問題分為四類❸：

　　(1)　辨　識

　　(2)　查詢來歷曖昧人物的身份。（此點與本文無關）

　　(3)　歷史上真相不明事實的澄清。（此點以後說明）

　　(4)　大人物生活隱藏事項的探詢。（此點以後說明）

所謂辨識問題通常在下列情形之下發生❹：

　　　a.不能記憶此人的完整姓名。

b. 將兩個同姓名人物混淆。

c. 此人的姓名更改。

d. 所知姓名中部份錯誤。

e. 僅知筆名或僞名，需與眞名對照。

在本文中 b、d、e 三項可以排除。

c 項，Melvil Dewey 曾經更改名字❺，但是並不重要。

a 項是發生辨識問題的主要原因。

我們中國人不習慣於記憶國際朋友的全名是可以諒解的，中國名字有文化價值，具有深刻意義，例如良才、俊漢、承源、雪玫、秀菊等，外國名字例如Melvil，John, George, Harris則毫無意義可言。我個人認爲補救的方法是增加若干確定的事實以加強印象，這就要回到前面所提到的(3)眞相的澄清和(4)生活隱藏事項的探詢。

2. 文獻的啓示

凡是有寫作經驗的人都知道運用資料時的困擾有二：

(1) 資料太多不易掌握。

(2) 資料太少不敷應用。

在寫作本文時我更遭遇到另外兩個難題：

(3) **參考工具書，尤其是專供辨識的參考資料內容有欠完整。**

我這樣講並不是無稽之談，因爲：

● 我曾經檢索了所有的傳記參考工具書，並且仔細比較。

（有關本題的辨識參考資料，一般和專科百科全書資料，我影印

了一百頁左右）。

● 我不是不知道辨識參考資料的有限功能，編輯者是為一群使用者作想，當然不能符合我個人的特殊需求。

百科全書只是為開始找尋背景資料之用，從事研究工作不能停在那裏。

● 辨識參考資料繁簡不等，有嚴重的個別差異舉例如下：

A.　Webster's Biographical Dictionary. ❻

Dewey, John. 1859–1952. Brother of Davis Rich Dewey. American philosopher and educator, b. Burlington, Vt. Professor, Minnesota (1888–89), Michigan (1889–94), Chicago (1894–1904), Columbia (from 1904); adherent of pragmatism as formulated by C. S. Peirce and William James. Among his many books are *Leibnitz* (1888),*School and Society* (1899), *How We Think* (1909), *Democracy and Education* (1916), *Reconstruction in Philosophy* (1920), *The Quest for Certainty* (1929), *Art as Experience* (1934), *Liberalism and Social Action* (1935), *Logic: The Theory of Inquiry* (1938).

Dewey, Melvil. 1851–1931. American librarian, b. Adams Center, N. Y. Chief librarian and professor of library economy, Columbia (1883–88); director New York State Library (1889–1906); also, founder and director, New York State library School (1887–1906). A founder of American Library Assoc., Spelling Reform Assoc.; founder and editor, *Library Journal* (1876–81) and *Library Notes* (1886–98). Originated decimal classification system and published *Decimal Classification and Relatve Index* (1876-1929).

Webster′s Biographical Dietionary 是以辨識著稱的參考工具書，但是內容過於精簡。查看這份資料可能誤導使用者認為 **John Dewey** 只是一個著名哲學家，**Melvil Dewey** 只是 **Dewey Decimal Classification** 的創始者。

B. Who was who in America

DEWEY, John, univ. prof.; b. Burlington, Vt., Oct. 20, 1859; s. Archibald S. and Lucina A. (Rich) D.; A. B., U. of Vt., 1879, LL.D., 1910; Ph.D., Johns Hopkins U., 1884; LL.D., U. of Wis., 1904, Peking Nat. U., 1920, U. of Paris, 1930; D.Sc., U. of Pa., 1946; Ph.D., Oslo Univ., 1946; m. Alice Chipman, July 28, 1886; children--Fred'k A., Evelyn, Morris (dec.), Lucy A., Gordon (dec.), Jane U., Sabino L. (adopted): married 2d, Mrs. Roberta Grant, Dec. 11, 1946; children (adopted)--John, Jr. and Adienne. Instructor and asst. prof. philosophy, University of Mich., 1884-88; prof. philosophy, U. of Minn., 1888-89, U. of Mich., 1889-94; prof. and head dept. philosophy, 1894-1904, dir. Sch. of Edn., 1902-04, U. of Chicago; prof. philosophy since 1904, Columbia U., now emeritus. Mem. Nat. Acad. of Sciences, American Psychol. Assn. (press. 1899-1900), Am. Philos. Soc. (press. 1905-06); corr. mem. L'Institut de of France. Clubs: Century. Author: Psychelogy, 1886; Leibnitz, 1888; Critical Theory of Ethics, 1894; Study 1894; School and Society, 1899; Studies in Logical Theory, 1903; How We Think, 1909; Influence of Darwin on Philosophy, and Other Essays, 1910; German Philosophy and Politics, 1915, rev. edit., 1942; Democracy and Education, 1916; Reconstruction in Philosophy, 1920; Human Nature and Conduct, 1922; Experience and Nature, 1925; The Public and Its Problems, 1927; The Quest for Certainty. 1929; Art as Experience, 1934; A Common Faith, 1934; Liberalism and Social Action, 1935; Logic: The Theory of Inquiry, 1938; Culture and Freedom, 1939; Education Today; Problems of Man, 1946; Knowing and the Known (with Arthur Bently), 1949. Home: 1158 Fifth Av., N.Y.C. Died June 2, 1952. ❼

DEWEY, Melvil, exec. and librarian; b. Adams Center, N.Y., Dec. 10, 1851; s. Joel and Eliza (Green) D.; A.B., Amherst, 1874, A.M., 1877; (LL.D., Syracuse, and Alfred, 1902); m. Annie R. Godfrey, Oct. 19, 1878; m. 2d, Emily McKay Beal, May 28, 1924. Acting librarian, Amherst, 1874-76; started and managed 3 nat. ednl. socs. at Boston--Am. Library Assn., Metric Buro for establishing metric weights and measures, and Spelling Reform Assn., 1876-83; also Library Buro for advancing library interests, 1876-83; chief librarian and prof. of library economy, Columbia, 1883-88; dir. N.Y. State Library, 1889-1906, and of Home Edn. Dept., 1891-1906;

sec. and exec. officer Univ. State of N.Y.,
1889–1900; founder and dir. N.Y. State Library
Sch., 1887–1906; state dir. of libraries, N.Y.,
1904–06; founder, 1895, and became pres. Lake
Placid Club; founder and pres. Lake Placid Club
Edn. Foundation, 1922; pres. Northwood Boys'
Sch.; also pres. Adirondack Music Festival;
trustee Chautauqua Instn., 1907––. Author:Library
School Rules, 1891; Decimal Classification and
Relative Index, 1876–1929. Also numerous ednl.,
library, metric and spelling reform books,
repts., etc. Editor: A.L.A. Catalog, 1904, The
Library (London); also various jours. and re-
ports. Founder, and editor Library Journal,
1876–81, and Library Notes, 1886–98. Founder,
1st pres. N.Y. Library Club, N.Y. State Library
Assn., and Library dept. N.E.A.; pres. Assn.
State Librarians; trustee Carnegie Simplified
Spelling Bd., pres. Efficiency Soc., 1915––;
founder and pres. Lake Placid Club in Fla. Died
Dec. 26, 1931. ❽

Who Was Who in America 提到 John Dewey 在北平任教，
Melvil Dewey 和 Lake Placid Club 內容比較 Webster's Bio-
graphical Dictionary 詳細，但也只是五十與百步之比。

(4) 資料的供應與需求剛巧呈現相反比例。

兩個杜威是以 Melvil Dewey 為主，John Dewey 為
輔的，但是可能取得的資料却偏重 John Dewey，有
關 Melvil Dewey 的資料則有如鳳毛麟角，這種情形

在中文圖書方面尤其顯著。

由於上述困擾，這篇文字的寫作可謂一波三折，幾乎使我失去繼續下去的意願，直到我在 Library Literature 的1991合訂本中找到下列 Entry，才恢復了重新開始的勇氣。

Dewey, John, 1859-1952

about

Carlson, A. D. The other Dewey: John Dewey, his philosophy and his suggestions to educators. (*In* Library education and leadership. Scarecrow Press 1990 p. 109-25) bibl.

Dewey, Melvil, 1851-1931

about

Girja Kumar. Ranganathan, Dewey and C. V. Raman; a study in the arrogance of intellectual power. Har-Anand Publs.; Vikas 1991 147p.

Wiegand, W. A. Melvil Dewey and the origins of the New York Library Association. *Bookmark* 48:81-4 Wint '90. ❾

這兩個Entry對我的心情有鼓舞作用，首先在 Library Literature 中收集有關 John Dewey 的文字還是第一次，而且無巧不成書，John Dewey 和Melvil Dewey 成了芳鄰，A.D. Carlson 的論文使用了「另一個Dewey」(The Other Dewey)字樣和我的題目部份吻合，同時更顯示了兩點極為重要的意義。

● John Dewey 和圖書館學有某種關係。

● 圖書館學研究論文並沒有忘記Melvil Dewey。

3. 現代化科技的衝擊

據 OCLC 的 Newsletter 報導，OCLC 的附屬出版公司 Forest Press 推出了電子化杜威分難法❿（Electronic Dewey）乃是 DDC20 的唯讀性光碟（CD-ROM），Peter J. Paulson, Forest Press 的執行長，指出這是以交互作用電子格局形態（Interactive electronic Format）供應的第一部主要圖書分類法。

這篇報導的標題是 Dewey turns 120 and goes High Tech. 意思是 Melvil Dewey 創始杜威十進分類法已經 120 年了，現在 "老當益壯" 以高科技姿態重新出現。OCLC 的在圖書資訊界的地位是毋庸我強調的 OCLC 對 Melvil Dewey 貢獻的肯定，對於我撰寫這篇文字的動機有無比刺激作用。

三、這個杜威和那個杜威──其人

1. 中國之友

(1) Melvil Dewey

我國圖書館事業先進嚴文郁教授在中國圖書館發展史一書中稱「民國14年中華圖書館協會成立,組織大綱中有名譽會員一種,邀請圖書館專家⋯⋯為會員,第一次董事會會議時推選美國圖書館專家為名譽會員,其名單如下:

Melvil Dewey	杜威十進分類法發明人
Herbert Putnam	美國國會圖書館館長
Ernest C. Richardson	普林斯登大學圖書館館長
Clement W. Andrews	John Crerar圖書館館長
James I. Wyer	紐約州立圖書館館長(筆者恩師)
John C. Dana	紐瓦克公共圖書館館長
Charles F. D. Belden	波士頓公共圖書館館長
William W. Bishop	密西根大學圖書館館長
Carl H. Milam	美國圖書館學會執行長
Edwin H. Anderson	紐約市公共圖書館館長

以上美國圖書館界的巨擘均有覆函欣然接受,紹誠教授特別指出其中以Melvil Dewey 的回信最為親切,他特別將全函錄出⓫,讀者也可參考中華圖書館協會會報 1 卷 3 期頁19,對於我國圖書館專業初創時期的國際關係,紹誠先生瞭如指掌。他說,「杜威以

創辦美國圖書館學會的經驗來鼓勵我國協會，予圖書館界讀此函者莫大的勇氣與振奮」。

(2) John Dewey

John Dewey 曾在我國擔任客座教授，傳記參考工具書的記載並不一致。

A. Who was who in America

「國立北京大學 1920」⑫。

B. Collier's Encyclopedia

John Dewey 接受中國、日本、土耳其以及蘇聯邀請擔員哲學與教育的使命⑬。

C. Academic American Encyclopedia

John Dewey 於 1919-1921 年間在日本與中國講學⑭。

D. McGraw-Hill Encyclopedia of World Biography

在第一次世界大戰後，John Dewey 的聲望達到顛峰，他成了一個環繞世界的旅行者，他在日本任教，並且以兩年時間在北京和南京擔任客座教授⑮。

E. Dictionary of American Biography

去了日本以後，John Dewey 到達中國，原來計劃只是一個短期訪問，結果留下來兩年之久，在這個期間，他到中國各處旅行，多次演講，對中國的教育有極為重大的影響力⑯。

F. The Illustrated Columbia Encyclopedia

John Dewey 在 1912 及 1931 年在北京大學講學⑰。

我不厭其詳利用多種參考工具書檢索 John Dewey 在我國講學是

有原因，我想趁這個機會對在座同學說明，假使讀者詢問：

　　「John Dewey 有沒有在中國講學？

　　如有，是那一年？」

使用傳記參考資料可能發現有數種不同答案：

- 查不到 John Dewey 在中國講學的資料

　如用Webster Biographical Dictionary

　及World Boak Encyclopedia

- John Dewey 曾經到過中國，有教育方面的任務，不一定是講學，不提供時間的資料。

　如用Collier's Encyclopedia

- John Dewey 曾用兩年時間在中國講學，確切時間不詳。

　如用McGraw-Hill Encyclopedia of world Biography

　及Dictionary of American Biography

- John Dewey 以兩年時間在中國講學，確切時間不同。

　如用 Academic American Encyclopedia

　答案是 1919-1921

　如用 The Illustrated Columbia Encyclopedia

　答案是 1912 及 1931

　　關於這一個問題，我對同學的建議是不可以迷信一種參考書，而要多方求證。

　　國際學人來到我國講學以現在人的眼光來看是件極為平凡的事，在民國20年左右則是一件轟動的大事。我把 John Dewey 看成中國之友並不僅是因為他肯逗留兩年在我國講學，而是因為他接受了我國采玉勛章（Order of the Jade 1939）⑩在日本時卻

拒絕接受日本政府在贈勛（Order of the Rising Sun）⑲。

2. 迴然不同的個性

(1)　Melvil Dewey

有關Melvil Dewey 的傳記參考資料並不多見，McGraw-Hill Encyclopedia of World Biography 在介紹Melvil Dewey 的文字中參考書目中只列有兩種。

A. Grosvenor Dowe所編的Melvil Dewey：Seer：Inspirer：Doer N.Y. Lake Placid Club 1932 這部書是冊數有一定限度的版次，我有幸得到一本有Melvil Dewey 親自簽名 copy no.426（請參見附件一），這部書是根據Melvil Dewey 私人保存的檔案、信件，由他的家人提供才能完成。這部書的一個主要特徵是完全保留Melvil Dewey 用簡寫字的習慣（請參見附件二），這部書的大綱也複製在後（請參見附件三）。

第二部書是 Fremont Rider 所編寫的Melvil Dewey 是1944年出版篇幅較小，雖然有點評論的性質，仍然譽多於毀⑳。

此外，Encyclopedia of Library and Information Science 也登載一篇Melvil Dewey 的小傳由Winifred B. Linderman 執筆。

Melvil Dewey 究竟是一個甚麼樣的人，從這些文獻中我們差不多可以畫出來一個簡單的輪廓。

D.A.B. 形容Melvil Dewey是一個有年青人的體力，無限的精力，積極推動他新的理想，堅持他的信念有絕對正確性的人物，這種個性保證他以後不會過太平無事的生活㉑，Linderman

在他的文字中幾度提到 Melvil Dewey 的倔強個性，他說:「Melvil Dewey 工作太過於勞累而沒有耐性，不肯接受別人的批判，他在圖書館裏訂定若干嚴格的規則，要求教職員繳納借書過期罰款，使得他觸怒了很多不可以得罪的人」❷。在另外一段他又說「在 Albany 和在 Columbia 一樣，Melvil Dewey 革命化的成就，贏得一片讚美之聲，結果是以樹敵下場」，「Melvil Dewey 一旦有了一個構想，他要求立即行動，他不能理解和他意見不同的人的心態和感受。但是他從不對反對他的人懷恨，他也期盼別人這樣對他」❷。Linderman 用一個字形容 Melvil Dewey「tactless」❷。

其實 Melvil Dewey 並不是一個完全不通人情的人，「他的家每週星期五晚開放（open house）歡迎教職員生、朋友闖門，無論男女主人是否在家都是一樣，他家經常舉行舞會、唱遊、朗誦和讀書會。」他是一個相當 popular 的人物，Melvil Dewey 口齒流利，講話有煽動力，討論問題時，他能很快的抓住重心，這是他 John Dewey 最大不同的地方。

(2) John Dewey

John Dewey 是一個典型的書呆子，Robort W. McAhren 說:「John Dewey 不修邊幅，在態度上是害羞和沉默的，在上課時常常使得學生睡覺，但是對那些能夠聽講下去的學生群而論，他們親眼看到一個醉心於理想的老師在 課室裏創造了他的哲學」❷。

說 John Dewey 上課好像對學生催眠大有人在，Irwin Edman 說「John Dewey 缺乏能說會道的那一套本領，他緩慢，

Vermont 的鄉音，講得學生昏昏欲睡，但是他却是一個偉大的老師，他的教學是在創導求知而不是傳授學術的內涵」❷。D.A.B.第五補篇描寫「 John Dewey 是身體健康，精力旺盛毫不虛僞做作的人。但是他那慢慢吞吞東想西想的教學和演講方式有時讓聽衆感受到痛苦不堪」❷ 。 Twenty Century Authors 中說「 John Dewey 高瘦的身材很像 Robert Louis Stevenson ，他隱藏在一副學士眼鏡後的黑眼珠，吊在嘴上的八字鬚和很少好好整理的頭髮成了美國哲學界龍頭的註冊商標，他的聲音是單調的，他的學生們熱愛他，雖然有時候會使得學生昏昏欲眠 ❷ ， John Dewey 大部份的時間在思考，甚至上課時也在思想，這樣久而久之就造成了一個心不在焉的樣子。有時和別人約會時，他不是早一天就是遲一天到場❷，甚至在他80歲慶祝會時，有頭有臉的人士紛紛參與，他却忘記了出席 」 ❸ 。

　　John Dewey 是一個溫文有禮、有君子風度、性情和平的學者。他短於言詞，不善表達，加之毫不瀟灑。最適合他的形容詞是 “Dull ”（毫不精彩）Max Eastman 在我所知道的英雄人物（Heroes I. Have Known）中說「不僅 John Dewey 的風格是單調的，他的枯燥無味的特徵也感染到那些闡述他的教育理論的寫作」❸ 。有關寫作 Twenty Century Authors 是站在一個比較嚴格評價的立場上的，對於 John Dewey 的評語是：

　　「 John Dewey 的思想對於美國教育與哲學的影響是無法估計的，但是並不是因爲他的寫作能夠有力的表達，老實說作爲一個作家，杜威的寫作是模糊不清的，有些甚至於到差勁的地步。他的哲學可能是精簡、直截的，但是 他的文字却做不到那個程

度。他寫的文章老是在題目週圍旋繞，糾纏不清，同時運用很多別人看不懂的難字。」「作爲一個演講者，John Dewey 也不高明多少。」不過在嚴厲的品評以後，Twenty Century Authors 也鬆口承認「跟隨着 John Dewey 的思想是值得的，而且他晚年的寫作例如 Freedom and Culture（ John Dewey 80 歲時的著作）清楚明瞭是過去的著作做不到的」❸。

　　(3)　同中有異，異中有同

　　在個性上，Melvil Dewey 和 John Dewey 是兩個完全不同的人物。Melvil Dewey 外向，脾氣急躁，總嫌時間不夠，做事事必躬親，注意到一些細節。John Dewey 則內向，性情溫和，動作緩慢，處理事務只管大的原則，既不願也不能注意細節，但是他們也有若干相同的地方。

　　A. 他們都高壽

　　Melvil Dewey 活到80歲， John Dewey 93歲才去世。

　　B. 他們都有賢內助

　　Melvil Dewey 和 Annie R. Godfrey 在1878年 10 月19日結婚，她是 Melvil Dewey 最得力的助手，「號稱為管理 Lake Placid Club 的天才」❸。

　　John Dewey 夫人娘家名字是 Alice Chipmen ， 他們在1886年 7 月28日結婚，她是 John Dewey 的學生是一個個性外向、喜歡結交朋友的女性。由於她的廣泛興趣與社會和教育問題有關，也使得 John Dewey 將這些問題納入他研究的領域。在另外一方面，她活潑的個性填補了 John Dewey 害羞的缺失 ❸。

C. 垂垂老矣!!生活進入第二春

Annie Dewey 死亡後兩年 Melvil Dewey 和他的第二任夫人 Emily McKay Beal 於 1929 年 5 月 28 日結婚，那時 Melvil Dewey 是 73 歲。

Alice Chipman Dewey 於 1927 年逝世，John Dewey 在渡過獨身生活 20 年後，於 1946 年 12 月 11 日和 Mrs. Roberta Lowitz Grant 結婚是一個 John Dewey 看她從小長大的寡婦 ❸。這時 John Dewey 已經是 87 歲的高齡了 ❸。

D. 劣幣驅逐良幣，無情社會的反淘汰

兩個杜威都是飽受挫折、春風並不得意的人。但是在大多數傳記參考資料中我們看不到他們受到高層知識份子強烈打擊的報導，若干參考工具書對於引起爭論(controversial issues)的問題，尤其是已經澄清的事實，在編輯政策上是儘可能避而不談的，但是在某些情況下，這種作風對於被傳人和讀者都是不公平的，兩個杜威就是最好的例子。

甲、Melvil Dewey

Melvil Dewey 的問題，在於他的觀念見解始終走在時代前面，而為社會所不容許。同時他過於公正嚴明，執法時六親不認，他認為王子犯法庶民同罪是天經地義的事，他天真到以為「得道者多助」，實際的情況却完全不是那麼一回事。

Columbia College 董事會議記錄有下列三案 ❸：

1988 年 11 月 5 日：

決議：董事會決定自即日起免除 Melvil Dewey 先生圖書館

館長職務。

　1988 年 12 月 3 日：

　決議：董事會推翻免職決議。

　1989 年 1 月 7 日：

　決議：Melvil Dewey 先生請辭圖書館長及圖書館學校主任職務應予照准。

　這三個決議案實際的動機是一致的，Melvil Dewey 必需走路，他的罪名是甚麼？

　　●他竟敢決定在圖書館學校中招收女生。

　Melvil Dewey 並沒有越權擅自主張，他的檔案中保留有和大學校長 F.A.B. Barnard 交換的信件，顯示 Barnard 是贊成招收女生的。董事會則堅決反對，當時 Barnard 校長是久病之餘，身心交疲已經大權旁落，董事會處理免職調查委員會要角有三：Seth Low, Charles M. Da Costa, Ed. W. Mitchell 都是反對 Melvil Dewey 的主力，Mitchell 是召集人提出免職案，Seth Low 則是 Barnard 之後的繼任校長❸。

　　●他要求申請入學的學生填寫申請表其中包括有身高，體重膚色的項目。

　　●他要求申請者繳交個人照片。

　董事會認為要求學生提供個人資料是一個嚴重的錯誤。

　其實這些都是表面的理由，欲加之罪何患無詞，骨子裏的因素是：

　　●Melvil Dewey 積極推動圖書館標準化要求取得分館，成立集中式總館不為院系教授贊同。

● 教授借書逾時罰款，嚴重的打擊了教授的尊嚴。

由於上兩項理由，教授對 Melvil Dewey 的態度是一面倒的反對，他們寫給 Barnard 校長的控告信幾乎沒有例外的一致要求幹掉這位不通人情世故的館長 ❸。

● 對於圖書館學教育 Columbia College 董事會和 Melvil Dewey 的基本觀念有極大差異。

圖書館學校的成立，Columbia College 的董事會訂下三項限制條件：

● 不增加學校經費開支。

● 由圖書館員利用多餘時間擔任教席。

● 教學場地在館內舉行。

由於這些小兒科的作風，W.B. Linderman 說董事會並沒有意思讓圖書館學校一直辦理下去，但是他們認為至少會辦理一年 ❹，而成立圖書館學校以培育圖書館員則是 Melvil Dewey 的四大目標之一 ❹。

Melvil Dewey 離開 Columbia College 以後轉移陣地到 Albany，他將 Columbia College Library School 的人員全部帶走，他出任 New York 州立圖書館館長兼 New York State Library School 的主任，這個工作他從 1889 到 1906 保持了 17 年之久。1904年 New York 州議通過議案成立州教育廳，統籌管理全州教育業務。Melvil Dewey 推薦 Illinois 大學校長 Andrew S. Draper 出任廳長，Draper 過去和 Melvil Dewey 曾經有過誤會，但是 Melvil Dewey 外舉不避嫌，仍然認為他是最佳人選。Draper 到任後對於 Melvil Dewey 的運作極為挑剔，幾乎到了一無是處的

地步，那時發生的若干事件都是無關宏旨的，然而却成了新聞的重要標題。例如：

- 學校採用十進分類法為課本㊷。
- 學校鼓勵學生騎自行車上學，以批發價購買一批自行車，不收利潤轉售學生。
- Melvil Dewey 個人購買住屋一棟。

這些莫須有的罪名以後都經過詳細調查，Melvil Dewey 並沒有取得任何私人利益，也沒有虧空公款。

Melvil Dewey 成立 Lake Placid Club，主要是為圖書館員、教員、學生寒暑假期內活動之用，却被指為反猶太人的據點。Melvil Dewey 因此被迫在圖書館工作和經營 Lake Placid Club 之間作一選擇，1905年9月21日 Melvil Dewey 離開了圖書館工作，他那時才54歲。

如果參考書不記載這些經過，使用者會產生一種錯覺，以為 Melvil Dewey 見異思遷，在眞正能做事的時候，成了圖書館界的逃兵，那就寃存海底有失公道了。

乙、John Dewey

John Dewey 是一個與世無爭的學人，他與 Robert M. Hutchins 的激辯㊸，是純學理的也是健康、有益無害的。他的人事糾紛不多，唯一的摩擦發生在與 University of Chicago 校長 William Rainy Harper 之間，這段經過 Encyclopaedia Britannica, Encyclopedia Americana, D.A.B Supplement 5, McGraw-Hill Encyclopedia of World Biography 都有簡單介紹，大體的情況如下：

　　John Dewey 深信一個大學的教育院系應該同時重視研究工作和教育培育，因此他和他的夫人 Harriet Alice Chipman 創辦了實驗學校（後來大家稱為 Dewey School），這所學校後來和 Francis W. Parker 學校在 1903 年合併（由於 Francis W. Parker 逝世），因此引起風波。Harper 校長不願意看見 Harriet Alice Dewey 有太多行政權力而免除她的職務，John Dewey 在嚴重抗議之後離開 Chicago 而轉移到 Columbia 大學任教，這是 1905 年 2 月的事，以後他一直留在 Columbia。

　　這個事件在表面上看是私人的問題，實際上冰凍三尺非一日之寒，主要是兩個教育家個性和學術風格不能相容的結果❹。

四、這個杜威和那個杜威——其事

1. Melvil Dewey 與生俱來的圖書館員特質

(1) 愛書的人

　　A. 在 Melvil Dewey 13 歲時，他從他的家步 11 哩到 Watertown 市只是為了購買一册 Webster's Unabridged Dictionary，他去時口袋中裝滿零錢，這些 1 分、5 分、1 角、2 角 5 分的貨幣都是他做零工日積月累儲蓄節省下來的，這是極為難能可貴的。他出身一個貧寒的家庭，到 19 歲時才存夠了學費進大學，在 1926 年的日記中他還念念不忘這回事。他說：「我終於得到了這部重要的書，60 年來我始終有這個信念，如果一個孩子能夠養成經常查

詢字典的習慣，是接受教育的最好現象」❹。在1869年時，也就是Marvil Dewey 18歲時他的私人藏書已經達到85册，Geo．C．Owens 說：「在Melvil Dewey小的時候，每次在路上碰見，他總是手中拿着一本書的。」

B．在1867年以後的日記中，Melvil Dewey經常提到圖書，「在16歲時，他帶回家一册Abercrombie的 *Intellectual Philosophy* ，同時批評Macaulay 所著的英格蘭史，他指控這部書沒有討論到Victoria 統治的時代」❹，21 歲時開始將他更改作個評論的書籍編輯成爲一個書目❹ 。

(2) 壯志凌雲

Grosvenor Dawe 在編輯Melvil Dewey, Seer-Inspirer-doer 1851-1931 一書時指出資料顯示Melvil Dewey從小就有很大的野心和志氣❹，在1969年11月15日，那時他還不滿18歲的日記中說：「我現在全心全意打算貢獻我有生之年從事教育工作，讓那些年輕的人花了太多的時間得到有限的知識是一種罪惡 」❹。「明天我就滿18歲了，我在這18年之內的成就，希望我的子女在 15 歲時就能完成。」

在他21歲還在 Amherst College 唸書的時候，他在日記中評論 *Memoirs of Libraries* 一書時，他曾經寫下這幾句話，「讀了這本書以後，使我深切的感受到公共圖書館的重要，……我的最大志願……對每一個人提供免費學校和圖書館的服務」❺ 。

2. 舉世聞名的分類法

杜威十進制圖書分類法是1873年問世的第一版只有42頁,在 Melvil Dewey 最後一個生日,1931年12月10日, 他的崇拜者 Florida 州立女子大學圖書館館長Mary Elizabeth Krome在賀 函中以分類號碼代表部份文字,其中兩句是:

「 815 is more in order than a simple 816. 」

「 The 900 of 020 must indeed be dark before 1873.」

815是講話,816是信件,900是歷史,020是圖書館學。 翻譯成普通文字,她的意思是:

在這個場合,口講比寫信更合適。

在1973年以前圖書館學的歷史是黑暗的。❺

1926年圖書館調查統計顯示:

運用杜威分類法:

美國公共圖書館	96 %
美國大學圖書館	89 %
英國公共圖書館	56 %

運用Cutter system:

美國公共圖書館	20 所
美國大學圖書館	4 所

運用美國國會圖書館分類法:

美國公共圖書館	3 所
美國大學圖書館	14 所❺

在1876舉行費城圖書館會議Melvil Dewey 解釋十進制圖書分類

法的功能時說：「在現行制度下（指不經分類而依登記號碼，書的顏色等排列圖書方法）書籍在架上的位置是不會變動的，今年這樣10年後還是這樣，使用者習慣了這種情形，有時在黑夜裏看不見的時候也可能摸索的找到某一本書，十進制分類法強調相關位置，隨時可以加入新書，因此10年以後我們不可能在黑暗中摸到這本書。」主辦這次會議的費城圖書館長 Lloyd P. Smith 是支持杜威十進制圖書分類法的，他說：「我想黑暗到看不清楚的時候，到圖書館來摸索找書的讀者不會太多，因此反對的聲音不會太大」❸。

關於杜威十進圖書分類法，各位比我清楚，我無意多加敍述，我只指出一點作為這段文字的結束，Biscoe 說 Melvil Dewey 製作這套分類法的原意祇是解決 Amherst College Library 的書藏內容組織，從來沒有想到世界性的採用問題，Melvil Dewey 和他是以美國的眼光來看這部分類法的，因此分類法只爲外國文獻保留了很少的空間❹。記得我也曾經說過「杜威法是盎格魯薩克森（Anglo-Saxon Culture）的產品，是一部專供英美圖書館使用的分類法與英美文化愈爲接近的文化在此一分類法中愈佔地位，杜威在有生之年絕沒有想到他的作品會「外銷」到中華民國」❺。

3. 偉大的成就

Melvil Dewey 以杜威十進制圖書分類法成名，參考工具書如 World Book Encyclopedia, Encyclopedia Americana 都除了提供 Melvil Dewey 傳記資料外，還另外為 Dewey Decimal Classification 單獨成立款目，這種做法並沒有錯，却容易引起

一種錯覺，使得使用者以爲Melvil Dewey 的貢獻就此而已，事實
並非如此，我現在舉出他幾樣極爲重要的成就。

(1) 美國圖書館學會的建立

美國建國後的100年，也就是1876年，確切的日期是10月第
一週，90位男士，13位女士他們都是專業圖書館員在費城開會，
這些人士在William Frederick Poole, Charles A. Cstter 和
Melvil Dewey 領導之下 ， 成立了美國圖書館學會， Patrick
Williams 對於 A. L. A. 的這段報導略嫌過於精簡❺❻。Melvil
Dewey 實際上是這些領導者中間的靈魂人物。他的會員證是第
一號，他擔任學會執行長15年，會計長三次，並且兩度當選會
長❺❼。

早期A.L.A.會長名單：

```
                                          Year
Justin Winsor.......................1876-85
William Frederick Poole..............1885-87
Charles Ammi Cutter..................1887-89
Frederick Morgan Crunden.............1889-90
Melvil Dewey.........................1890-July, 1891
Samuel Swett Green...................July-Nov., 1891
William Isaac Fletcher...............1891-92
Melvil Dewey.........................1892-93
Josephus Nelson Larned...............1893-94
Henry Munson Utley...................1894-95
John Cotton Dana.....................1895-96
William Howard Brtt..................1896-97
```

Justin Winsor.....................July–Oct., 1897
Herbert Putnam....................Jan.-Aug., 1898
William Coolidge Lane.............1898–99
Reuben Gold Thwaites..............1899–1900
Henry James Carr..................1900–01
John Shaw Billings................1901–02
James Kendall Hosmer..............1902–03
Herbert Putnam....................1903–04

(2) Library Journal 問世

早在1876年，Melvil Dewey 就和 Edwin Ginn 商討出版一種圖書館學專業學報的事。第二年在 R. R. Bowker 支持之下他們創辦了 Library Journal，總編輯的當然人選是Melvil Dewey，原來議定總編輯的薪津是每月美金 100 元，結果因為經費困難，學報社送他大批過期學報代替薪金。Grosvenor Dawe 說在 Lake Placid Club 的倉庫還儲存有不少的過期學報❸，Melvil Dewey是一個從不在意報酬的人，他擔任 A.L.A. 執行長也是義務職不領薪津❸。

(3) 開風氣之先設立第一所圖書館學校

Melvil Dewey 在 Columbia 和 Albany 先後成立圖書館學校，在美國這是破天荒的創舉，這兩所有繼承關係的學府造就很多美國圖書館界的出色人物。

在 1887-1926 年之間結業學生1400名，A.L.A. 的會長有 5 人出身這兩所學校，1926年14所圖書館學系的主任有 6 名之多是

Melvin Dewey 訓練出來的高足 ❻⓪ 。

其實Melvil Dewey 在圖書館教育所作的偉大貢獻並不只是培育了美國圖書館界的領導階層，而是他鼓勵女生進入圖書館的陣營，而且他以平等的眼光看待女性 ❻① 。今天的圖書館事業由於 Melvil Dewey 開風氣之先的大膽突破，才產生極爲理想的Faminine touch 。

Melvil Dewey 是眞正能體會到圖書館教育的重要性的學人，在與Andrew Carnegie 的一封信中，他說：「假使圖書館事業迅速的發展，圖書館就需要有智慧性的管理，因此培育館員極爲重要，否則在方法上就會各自爲政」 ❻② 。

(4) 先知先覺的眼光

從文獻和資料中我們會很驚訝的發現Melvil Dewey 在一百多年以前提出的若干主張和我們現在倡導的運作有很多相同的地方。

A. 合作編目，合作探訪

遠在1876年Melvil Dewey 就在費城圖書館會議 提出合作編目的主張，在一篇題目爲 *The Preparation of Printed Titles for the common use of Libraries* 的報告中，他屬意美國國會圖書館主辦這項工作❻③ 。他主持的圖書館同仁則編出來一册紐約和Brooklyn 各公共圖書館藏新穎期刊聯合目錄，他的圖書館也成了紐約圖書館學會、全國主日學圖書館聯盟和兒童圖書館學會聚會的中心場所❻④ 。同時他更積極地和許多地方圖書館協商採購圖書政策和個別圖書館的書藏特色問題。

B. 強調服務，重視推廣

Melvil Dewey 可能是近代圖書館史上第一個強調讀者服務的圖書館館長，他指派館員中兩個學科專家擔任第一線參考工作，George Hall Baker 負責社會科學，包括歷史與法律。William G. Baker 則負責科學、藝術和連續出版品，在手冊中更指出圖書館提供參考服務⑥，由於 Melvil Dewey 的倡導，自 1896 年以來參考服務就成了 A.L.A. 年國議程中固定的部份，而各個圖書館也都紛紛成立參考部門。Mary Eileen Ahern 在 Public Libraries 學報中指出：「圖書館中最能幹的同仁應該擺在參考室裏……那裏是真正具有教育功能的地方」⑥。

在推廣工作方面 Melvil Dewey 深信 Columbia College Library 主要的工作雖然是配合大學教學，但是同時也應該要將書香傳播社會，他歡迎市民，不分老少踴躍進入他主持的大學圖書館⑥。D.A.B. Supplement I 中說 Melvil Dewey 把圖書館工作帶到一個新境界，他成功地建立了館藏，將推廣工作圖書巡廻站等項重要工作逐一實現⑥。

C. 兒童圖書館學會的成立

兒童圖書館學會於 1888 年成立，其主要人物為 Rev. Peter Stryker 夫婦和 Emily Hanaway，但是 Melvil Dewey 的大力支持也有密切關係，這點 Encyclopedia Americana, D.A.B. Supplement I 等參考工具書都有明文登載，Encyclopedia of Library and Information Science 更指出：他是這個學會的董事之一⑥。

在 1903 年 Melvil Dewey 在 Public Libraries 中為文指出：

「近來的調查顯示,對於兒童生活的主要影響,培育他們成爲未來的主人翁,並不僅來自家長、老師和學校,而是看他們小時候閱讀些甚麼書」❼⓿。

D. Lake Placid Club

Melvil Dewey 在54歲時被迫在 Lake Placid Club 和圖書館工作兩項中作一選擇,他選擇了 Lake Placid Club,但是在精神上他並沒有遺棄圖書館事業。Melvil Dewey 有一個堅定不移的信念,他認爲快樂的人才是快樂的工作者,必需提供他們良好的生活環境和完善的休閒活動,這是他成立 Lake Placid Club 的動機,服務的對象主要是渡假的圖書館員,他們的家人、教員和青少年,後來他又成立 Lake Placid Club 教育基金會,這個基金會輔助的主要項目是十進制分類法,書目國化組織,圖書館活動,簡化英文工作,都是 Emily Dewey 一生奮鬥的目標。Lake Placid Club 在經營上的絕對的成功在 New York 和 Florida 分別成立營地至少有 400 所建築和10,000英畝的土地,可以同時接待1500名資深會員和 500 名青年會員,基金會的資金也到達 400 萬美元❼❶。Melvil Dewey 偉大之處是他涓滴歸公,從不爲私人利益作想,他說:「我不能浪費時間爲自己賺錢」❼❷,這是 Melvil Dewey 的眞面目。

4. John Dewey 的聯想

和 Melvil Dewey 高潮迭起的生平比較,John Dewey 過的是比較寧靜的生活,雖然他也遭受到社會的不公平待遇,但算不得狂風巨浪,有關他的著作不勝枚舉,我手邊就有十多種和他有

關的著作，其中我最欣賞 Arthur H. Wirth 所寫的 John Dewey as Educator. (N.Y. John Wiley of sons 1966) 和 John P. Wynne 以實驗主義立場所寫的 Philosophies of Education (N. Y. Prentice-Hall 1947)，後者是我在教育學院讀書時所用的課本，因為篇幅所限，同時這篇文字 John Dewey 只扮演了 Supporting role，我只簡單提出幾點意見。

(1) John Dewey 以生物學的觀點來看教育和人生。

Will Durant 說:「John Dewey 思想的體系是生物學的觀念作為出發點的，他把人看成有生命的有機體在這種環境成型，但是可以轉變」⑬。這點和我們所謂圖書館是一個有生命的有機體的觀念吻合，圖書館由動而變，才有進步，才能適應現代社會。

(2) 在教育目的方面，John Dewey 提出教育即生長(Education as Growth)與教育即生活(Education is life)的主張⑭，這是和 Oswald Spengler (1880-1936) 以有機體來解釋他的歷史哲學有近似的地方⑮。他們都認為人生就像文化一樣有萌芽、成長、開花、結果、萎縮等現象，人也有生老病死，其過程中間就是成長。

近代圖書館事業的主要任務是補學校正規教育之不足，Verna L. Pungitore 說公共圖書館為此才能存在而成為“人民大學” (People's University) ⑯，「學到老活到老」圖書館服務「從 0 開始直到永遠」都和這個理想有關。 John Dewey 認為學校只是我們智慧成長的媒介，以後就要看我們怎樣吸收經驗，眞正的教育是離開學校後才能取得的⑰。他雖然沒有明指圖書館，但是和我們的使命是符合的。

(3) 從做中學（Learning by doing）

John Dewey 的實驗主義肯定知識是從行動中得來，而且要經由行動來判斷眞僞，一方面行動，一方面進步，過去的經驗乃是解決未來問題的根據❼。Arthur Wirth 說：「從做中學」乃是將自己投入以取得了解和控制 ❼。

我們說圖書館學是一門偏重行動的科學。

靜止不動是圖書館事業的死敵。

Leon Carnovsky 認爲圖書館的主要職責在於收集及組織資料以供讀者使用，足以證明圖書館學是偏重行動的科學，他所謂的行動就是我們所謂的功能。

(4) 兒童爲中心的教育思想

John Dewey 的教育理論以兒童爲中心，他創辦實驗學校，他認爲教育工作應該從建立兒童興趣爲主，因爲學校就是一個小型的社會，讓兒童在課室中「想」和「做」同時進行，教師的責任只是從旁指導或是扮演協同活動的角色❽。

在圖書館事業方面，兒童一向是服務的重點，Jesse H. Shera 說：「我一向認爲一個好的兒童圖書館員工作相當接近於理想的圖書館服務，首先她知道她的資料，其次她認識她的兒童讀者」❽。

五、結論：無限的景仰，無限的懷念

Melvil Dewey 是1851年 12 月10日出生的，在他80歲生日時，他寫了一封通函給他的友人，他說：「今天我進入我的第 9 個

十年了，……40年前，我計算至少有15個全國性、地方性的專業組織都是由我挑起來主要的責任……我從來沒有有一天我會退休的念頭，我的姑姑在60年前告訴我，她的最大願望是老年時美麗，她做到了。我最大願望是精神和信心永遠不老而最後得到最大成就」❷。

在另外一封信他又說「我一生的精神是向外看而不向內看，向前看而不向後看，向上看而不向下看。」

1931年12月26日，也就是聖誕節第二天，Melvil Dewey 離開了這個世界，蓋棺論定。

Collier's Encyclopedia認爲圖書館學在Melvil Dewey 的影響之下向前大大邁進了一步，Encyclopaedia Britarnica 也宣稱美國圖書館事業能夠進步，Melvil Dewey 不是任何其他的學者專家可以趕得上的。

最有意義的是New York Times 1931 年12月28日的追悼文字❷：

> 025.4 D51
>
> ……如果把這位舉世聞名的圖書館學專家的所有活動都記錄下來，我們不知道在用這個分類法時把他放在那裏。……他的理論也可以把他分類到Philosophy，他可能不會滿意，除非我們把哲學這個字改用F拼音，因為他是力主拼音改良的。……
>
> 他也可能放在640（尤其是 647.94）因為他顯示了高度管理club的效率，而他提倡運動，特別是在Adirondacks 的冬季運動也可能很榮譽的佔用 796.9 ……。

當有人為他寫傳記時他的永久位置當是 920.2 這是圖書館員傳記的分類號碼。

Melvil Dewey 建立圖書館學校培育圖書館員，組織美國圖書館學會是使得圖書館專業人員永遠感激永遠不忘的。Grosvenor Dawe 為 Melvil Dewey 所編寫的傳記，說他是一個力行者（Doer），Barry Totterdell 將圖書館運作進入制度化歸功於 Melvil Dewey ，但也因此圖書館員養成了偏重行動摒棄了理論的追求 ⊛，但是我對他後半段意見不敢苟同。Melvil Dewey 也是一個圖書館學理論的闡揚者，他的著作可以證明。（請參見附件四）

Melvil Dewey 54歲時將主要精神放在 Lake Placid Club 的經營上，試想想如果他不被迫離職，圖書館事業又將是一個甚麼樣的局面？

John Dewey 的身價是毋庸置疑的，Encyclopedia Americana 對他的評語是「有史以來最著名的教育家，在美國如此，在外面的世界也是如此。」

本文為中央研究院歐美研究所主辦之美國圖書館之教育功能研討會作者發表的論文

附 件 一

Melvil Dewey

Seer : Inspirer : Doer

1851-1931

Biografic compilation
by
Grosvenor Dawe

CLUB EDITION

Melvil Dewey Biografy
Lake Placid Club, Essex Co, N Y
1 9 3 2

Limited Club Edition
Copy No. 426

(*Original autograph of Melvil Dewey*)

附 件 二

Melvil Dewey's Notehand Breves

about	abt	except	xc
after	aft	extra	x
again	ag	for	f
against	agst	from	fr
always	alw	good	gd
am	m	give	gv
an	a	great	g
and	&	had	hd
are	r	has, have	h
as	z	her, here	hr
at	a	him	hm
be, been	b	his	z
because	bc	in	i
before	bf	is	z
better	btr	it	i
between	btw	just	j
both	bo	kind	k
business	bz	know	no
but	bt	large	lrj
came, come	cm	like	li
can	c	make	mk
could	cd	man, many, men	mn
do, does, done	d	may	m
each	ea	might	mi
either	ei	more, most	mo
ever, every	ev	much	mu

must	mst	these, those	thz
neither	nei	this, thus	ths
never	nvr	thought	tht
no, nor, not	n	thru	thr
of	v	time, times	ti
oh, on, only	o	to, too	t
or	r	toward	twd
other, others	oth	under	u
our	r	up, upon	p
over	ov	very	vr
own	o	was	wz
part	pt	we	w
person, persons	per	were	wr
public	pb	what	wt
quite	q	when	wn
right	ri	where	whr
said	sd	while	whl
shall	sh	which, who, whom	wh
should	shd	whole	whl
since	sns	whose	whz
some, same	sm	why	y
soon	sn	will	l
subject	sbj	with	w
such	su	work	wk
take, took	tk	would	wd
than, then	thn	year	yr
that	tt	you	u
the	e	your	ur
their, there, they	th		

Melvil Dewey: Seer-Inspirer-Doer 1851-1931 Lake Placid
Club, Essex Co. N. Y., 1932, pp. 282-283.

附 件 三

Outline

(1) Ancestry.

(2) Boyhood 1851–1869.

(3) Amherst College 1870–1876.

(4) Creation of Decimal Classification 1873.

(5) Boston residence 1876–83.

    a. Readers and Writers Economy Co. 1879.

    b. Library Bureau 1882.

    c. American Library Association and Library Journal 1876.

    d. Spelling Reform Association 1876.

    e. Metric Bureau 1876.

    f. Aid in forming British Library Association London 1877.

(6) Columbia College 1883–88, librarian and professor of library economy.

    a. Created first library scool 1887.

    b. Children's Library Association.

    c. New York Language Club.

    d. New York Library Club.

(7) Albany 1889–1905 Secretary of the Board of Regents of University of the State of New York to 1899 and State Librarian.

    a. New York State Library School.

    b. Home Economics (in 1899 with Mrs Ellen Richards

and Mrs Dewey).

(8) American Library Institute 1906.

(9) Efficiency Society--National Institute of Efficiency-National Efficiency Society.

(10) Founded Lake Placid Club, Adirondacks, 1895.

(11) Founded Lake Placid Club Education Foundation 1922, with Seedsowing objects affecting twenty lines of national and international advancement.

(12) Establish Northwood School for boys, at Lake Placid.

(13) Annie (Godfrey) Dewey and Emily (Beal) Dewey.

(14) Founded Lake Placid Club in Florida 1927.

(15) Eightieth birthday.

(16) Miscellaneous interests.

Melvil Dewey: Seer-Inspirer-Doer 1851-1931, Lake Placid Club, Essex Co. N. Y., 1932, pp. 2-3.

附 件 四

Books by Melvil Dewey

Abridged decimal classification and relative index for
  libraries, etc. Boston, Library bureau, 1894.
      "   "   "   "   "   1895.

Abridged decimal classification and relative index, for
  libraries, clippings, notes, etc. 2d ed. Forest press,
  Lake Placid Club, Essex co., New York. 1915.
      "   "   "   "   " 3rd ed. rev. 1921.
      "   "   "   "   "   1926.

Abridged decimal classification and relative index for
  libraries and personal use in arranging for immediate
  reference, books, pamphlets, clippings, pictures, names,
  manuscripts and other material. 4th ed. rev. Forest
  press, Lake Placid Club, Essex co., New York. 1929.

Abridged decimal classification and relative index; ed.
  4 rev. to correspond to the few changes in meaning
  of numbers in full tables. 12th ed. Forest press, Lake
  Placid Club, Essex co., New York. 1929.

Classification and subject index for cataloging and arrang-
  ing the books and pamphlets of a library. Amherst.
  1876.

Classification and subject index for cataloging books.
  Trübner. 1877.

Decimal classification and relatie index for arranging,
  cataloging and indexing public and private libraries,

and for pamphlets, clippings, notes, scraps, etc. 2nd
ed. rev. and greatly enl. Boston, Library bureau, 1885.
  "   "   "   "   " 5th ed. 1894.
  "   "   "   "   " 6th ed. 1899.
  "   "   "   "   7th ed. Lake Placid
Club, New York, Forest press. 1911.
  "   "   "   "   " 8th ed. 1913.
  "   "   "   "   " 9th ed. 1915.
  "   "   "   "   " 10th ed. 1919.
  "   "   "   "   " 11th ed. 1922.
  "   "   "   "   " 12th ed. 1927.

Dewey's decimal classification and relative index for
Chinese libraries; ed. by J. C. B. Kwei. Augustine
Library, Shantung Christian university. 1925.
Decimal classification, correction and additions to editions
5, 6, and 7. Lake Placid Club, New York, Forest press.
1914.
  "   "   "   "   " Albany. 1915.
The extension of the University of the state of New York,
by Secretary Melvil Dewey. Albany. 1889.
Librarianship as a profession for college-bred women. An
address delivered before the Association of Collegiate
Alumnae, on March 13, 1886, by Melvil Dewey. Boston,
Library bureau. 1886.
Libraries as related to the educational work of the state.
Albany. 1888.
 Read before the Convocation of the University of New
York. Senate Albany, 1888.
Library school rules. Boston, Library bureau. 1890-1892.
 1. Card catalog rules; 2. accession book rules; 3.

shelfist rules.

"   "   "   "   "   3rd ed. 1894.

"   "   "   "   "   4th ed. 1899.

"   "   "   "   "   5th ed. 1905.

Office efficiency. New York, The Ronald press co., inc., 1912.

"Reprint from The Business of insurance", Dunham, H.P., comp. v. 3, pp. 272–316.

"Suggestions for labor saving equipment and methods." C. L. P.

On Libraries; for librarians. By Melvil Dewey. Being an article written for the New International Encyclopedia and reprinted from the same. New York, Dodd. 1904.

Outline decimal classification and relative index for libraries, etc. Lake Placid Club, New York, Forest press. 1921.

Simplified Library school rules. Boston, Library bureau, 1898.

Contents: Card catalog, accession, book numbers, shelf list, capitals, punctuation, abbreviations, library handwriting.

Books Edited by Melvil Dewey

American library association catalog. Washington, Govt. print. off. 1904.

8,000 volumes for a popular library with notes.

Annual reports (of the library of Columbia College) 1-5. 1884-88. 5 numbers.

Classified illustrated catalog of the Library department

of the library bureau. Boston, Library bureau. 1899.

Library notes. Boston. 1895.

The editor is responsible for all unsigned matter except in the advertising pages.

Papers prepared for the congress held at the Columbia exposition, World's library congress 1893. Washington, Govt. print. off. 1896. (U. S. Bureau of education reprinted whole number of this congress as no. 224).

Rules for author and classed catalog as used in the Columbia college library. Boston, Library bureau. 1888.

Fac-similes of sample cards, bibliography of catalog rules by M. S. Cutter.

Articles by Melvil Dewey

Abridged decimal classification and the relative index. Library Notes (U. S.) 4:1-200. 1895.

Accession book. Library Notes (U. S.) 1:27-9. 1886.

Accession book, card shelf-list and full names. Public libraries 9:281-2. 1904.

The accession catalog again. Library journal 3:336-8. 1878.

Accession order. Library Notes (U. S.) 3:422. 1893.

Accession rules. Library journal 1:316-20. 1876.

Additions to books. Public libraries 7:71. 1902.

等多篇（約 50 篇）

Melvil Dewey: Seer-Inspirer-Doer 1851-1931 Lake Placid Club, Essex Co. N. Y. 1932, pp. 368-370.

附　註

❶ 我在應邀作專題演講的點滴回憶時間地點恕我保密。

❷ 例如 81 年 10 月 1 日在中央研究院由歐美研究所主辦的中西教育比較研討會第一篇論文就是韓景春教授所提的從五育看杜威與蔡元培心目中的教育人本人忝爲評論人。

❸ Margaret Hutchins. Introduction to Reference Work. Chicago: American Library Association, 1944, pp.56-63.

❹ 沈寶環，西文參考資料，臺北：臺灣學局，民國 74 年，p. 267。

❺ Melvil Dewey 原名爲 Louis Kosseuth Melville Dewey 爲紀念匈牙利愛國英雄 Louis Kossuth 到 20 歲時先後取消 Louis Kosseuth 並將 Melville 縮短爲 Melvil. 見 Melvil Dewey, Seer-Inspirer-Doer 1851-1931, N. Y. : Lake Placid Club, 1932, p. 17.

❻ Webster's Biographical Dictionary G. & C. Merriam Co., 1969, p. 415.

❼ Who was who in America with world Notables Chicago: Marquis 1951-1960, p. 226.

❽ Ibid., 1897-1942, p. 319.

❾ Library Literature. N. Y.: H. W. Wilson, 1991, p. 283.

❿ OCLC Newsletter. November/December, 1992, No. 200, p. 27.

⓫ 嚴文郁，中國圖書館發展史，臺北中國圖書館協會，民國 72 年，pp. 232-234。

⓬ Who was who in America, op. cit., p. 226.

⓭ Collier's Encyclopedia, Mcmillar Educational Co., 1985, p. 171.

⓮ Academic American Encyclopedia, Danbury CT. Grolier, 1990, p. 149.

⑮　McGraw- Hill Encyclopedia of world Biography, McGraw-Hill, 1973, p. 359.

⑯　Dictinary of American Biography Supplement 5 N. Y. Charles Scribner's Sons p. 172.

⑰　The Illus trated Columbia Encyclopedia N. Y. Columbia Univ. Press, 1982, p. 1909.

⑱　Encyclopaedia Britannica 15th ed. Encyclopaedia Britannica Inc., 1990, p. 682.

⑲　Current Biography N. Y. H. W. Wilson, 1944, p. 158.

⑳　McGraw-Hill Encyclopedia of World Biography op. cit., p. 361.

㉑　Dictionary of American Biography, p. 242.

㉒　Encyclopedia of Library and information Science. Allen Kent and Harold Lancour editors. New York: Marcel Dekker, Inc. V. 7, p. 149.

㉓　Ibid., p. 157.

㉔　Ibid., p. 156.

㉕　McGraw-Hill Encyclopedia of World Biography op. cit., p. 359.

㉖　Current Biography op. cit., p. 161.

㉗　Dictionary of American Biography supplement 5. op.cit., p. 172.

㉘　Twenty Century Authors ed. by Stanley J. Kunitz N. Y. H. W. Wilson, 1966, p. 378.

㉙　Ibid.

㉚　Current Biography op. cit., p. 161.

㉛　The Dictionary of Biographical Quotation N. Y. Alfred A. Knopf, 1978, p. 234.

㉜　Twenty Century Authors op. cit., p. 379.

㉝　Melvil Dewey, Seer-Inspirer-Doer 1851-1951, N. Y.

Lake Placid Club, Essex Co., 1932, p. 234.

㉞ Encyclopaedia Britannica op. cit., p. 681.

㉟ Dictionary of American Biography. Supplement 5 op. cit., p. 123.

㊱ McGraw-Hill Encyclopedia of World Biography op. cit., p. 359.

㊲ Melvil Dewey: Seer-Inspirer-Doer, 1851-1931, p. 184.

㊳ Encyclopedia of Library and Information Science op. cit., pp. 149-150.

㊴ Melvil Dewey: Seer-Inspirer-Doer, 1851-1931, p. 192.

㊵ Encyclopedia of Library and Information Science, p. 149.

㊶ Ibid., p. 143.

㊷ Ibid., p. 152.

㊸ Current Biography op. cit., p. 161.

㊹ D. A. B. Supplement 5, p. 171.

㊺ Melvil Dewey Seer-Inspirer-Doer 1851-1931 op. cit., pp. 16-17.

㊻ Ibid., p. 27.

㊼ Ibid., p. 13.

㊽ Ibid., p. 15.

㊾ Ibid., p. 12.

㊿ Ibid., pp. 13-14.

(51) Ibid., p. 180.

(52) Ibid., p. 169.

(53) Ibid., pp. 173-174.

(54) Ibid., pp. 166-167.

(55) 沈寶環，圖書館自動化問題再商榷，圖書館學與圖書館事業，臺北：臺灣學生書局，民國 77 年，p. 138。

(56) Patrick Williams The American Public Library and

the Problem of Purpose. New York: Greenwood Press, 1988, pp. 9-10.

(57) Melvil Dewey Seer-Inspirer-doer 1851-1931, pp. 254-26.

(58) Ibid., pp. 257-258.

(59) Encyclopedia of Library and Information Science. op. cit., p. 146.

(60) Melvil Dewey Seer-Inspirer-doer 1851-1931, p. 6.

(61) Encyclopedia of Library and Information Science 1851-1931, p. 156.

(62) Melvil Dewey Seer-Inspirer-Doer 1851-1931, p. 252.

(63) Ibid., p. 181.

(64) Encyclopedia of Library and Information Science op. cit., p. 148.

(65) Ibid., p. 148.

(66) Patrick Williams op. cit., p. 30.

(67) Encyclopedia of Library and Information Science op. cit., p. 148.

(68) Dictionary of American Biography Supplement I op. cit., p. 242.

(69) Encyclopedic of Library and Information Science op. cit., p. 155.

(70) "Library Meetings" Public Libraries 8 (July,1903): 327.

(71) Melril Dewey Seer-Inspirer-doer 1851-1931, op. cit., pp. 233-234.

(72) Ibid., p. 253.

(73) Twenty Century Authors op. cit., p. 378.

(74) 李園會，杜威的教育思想研究，臺北：文史哲出版社，民國 66 年，p. 158。

(75) 教育哲學，文景出版社，民國 77 年，p. 152。

(76) Verna L. Pungitore Public Librarianship. N. Y. Greenwood Press, 1989, p. 17.

(77) 威爾杜蘭，西洋哲學史話，臺北：協志出版社，民國 46 年，p. 484。

(78) 中國教育學會，現代教育思潮，臺北：師大書苑公司，民國 77 年 ，p. 68。

(79) Arthur H. Wirth John Dewey as Educator. N. Y. John Wiley of Sons, 1966, p. 266.

(80) Encyclopaedia Britannica op. cit., p. 81.

(81) Jesse H. Shera Introduction to Library Science Litteton, Colo. Libraries Untimited, Inc., 1976, p. 57.

(82) Melvil Dewey Seer-Inspirer-doer 1851-1931, op. cit., pp. 14-15.

(83) Ibid., pp. 312-313.

(84) Barry Totterdell Public Library Purpose: A reader. London Clive Bingley, p. 46.

13. 張著圖書館自動化導論序

　　張鼎鍾教授的名著圖書館自動化導論是一部絕妙佳作，甚受圖書資訊界的重視與歡迎，因此問世不久，就推出增訂版，張教授要我爲新版寫序，我以極端欣慰的心情答應下來。

　　何謂「序」？（Preface）在牛津英文大字典簡篇的字意解釋中曾用了" to introduce "字樣，經過仔細閱讀考慮，我認爲" to introduce "不外兩種涵義：推薦著作和介紹著者，就介紹著者而言張鼎鍾教授鼎鼎大名享譽國際，何庸我來介紹？就推薦著作而論這部書已經暢銷，好像並不需要我或任何人推薦，既然如此爲甚麼我仍然要多此一舉來寫序，而且是以極端欣慰的心情來寫序。

　　第一，這部書是中國圖書館學會的出版品，學會對於出版專書，在選擇上一向採取高標準，幾十年來只出版了專書三種，如果加上旅美學人李華偉博士的論文集（正排版中），也不過四種。「質」雖然精，在「量」上却嫌單薄了一點，和外國同行談到這個問題多少有點不好意思。我國圖書資訊界人才濟濟，尤其希望青年才俊之士多多效法張教授的榜樣，埋頭案首，研究寫作以充實圖書資訊學貢獻。

　　第二，這部書優點甚多，我個人認爲張教授最大成就是能夠將理論與實際結合起來，所謂自動化是現代圖書館事業必需要走的一條路。民國 60 年， 我曾在圖書館學報第十一期中發表圖書

館工作自動化問題一文，內容上雖然乏善可陳，却起了「拋磚引玉」的作用。我的文字是「磚」，張教授的作為和著作是「玉」，為了寫這篇序，我曾經專誠拜訪國立臺灣師範大學圖書館館長林孟真教授和若干圖書館高級主管，以取得第一手資料，我聽到的是一片讚美之聲。師大圖書館是自動化發源地，張教授在館長任內主持編製教育資料論文摘要，和引進國際百科都是開風氣之先、有聲有色的大手筆。本書的出版更是圖書館自動化的經典鉅著，為圖書資訊界必讀之書。

　　第三，我們常用「實至名歸」、「名利雙收」的語句形容寫作完成的人，張教授却與眾不同，她寫作本書既不為「名」，更不為「利」，說到「名」，誰不認識 Dr. Margaret Fong ，稿費她已全部捐贈中國圖書館學會能說她要「利」嗎？「學而優則仕」，張教授以全票當選考試委員，在百忙之中她仍然專心寫作，並不因為做了特任官而忽略了圖書資訊本行，你能不佩服她嗎？

　　在圖書資訊界中，張教授經常是推動工作的主力（ Driving force ），我常說 "Margaret is the pride of our profession" 現在我更要在這句話中增加一個字 Margaret is indeed the pride of our profession 。

沈寶環　謹序

14. 何著圖書資訊原理序

何光國教授的大作《圖書資訊組織原理》問世了！

在我國圖書資訊學文獻的出版消息裏，這算得是引人注意，振奮人心的頭條新聞，值得慶祝，值得大書特書。

這部經典鉅著是《圖書資訊學叢書》的第一種。叢書主編是大名鼎鼎的周寧森教授。寧森兄慧眼識人，精挑細選的結果，情商光國兄爲這本書的執筆人。近來我有兩次和寧森兄見面的機會，話題自然而然的轉到這部書上。他對我說：「光國這本書越寫越好，越到後面越精彩。」對於他的評語，我舉雙手贊成。他講話時眼神中顯露出來的滿意光輝，表情鄭重仍然掩蓋不住欣賞的笑意，至今仍然歷歷在目。我在完全贊同他的意見之餘，仍然忍不住加了一點補充，我說：「從頭到尾，的確不凡。」這句話雖然脫口而出，卻是我內心深處的眞正感受。

以專業的立場而論，寧森兄是身經百戰的宿將，我則是服終身役的老兵，我們都謹遵圖書館工作人員的言行守則，更不致違背介紹資訊、製作書評的倫理。我們可能以略嫌過份的語言贊賞一個美麗的女郎，但是我們絕不會放鬆對一本學術著作的嚴格評價。這部書「精彩」、「不凡」，好處在那裏？

第一，這部書是獨特的、空前的，而且具有創意

就研討圖書資訊的「組織原理」而言，光國兄是在「專賣」，

到目前為止還是「祇此一家，別無分店。」因此我說「空前」，更由於本書內容涉及若干值得討論的項目，可能引發很多的反應和共鳴，我熱誠的期待這種情況出現，這是我刪除「絕後」兩字的原因。在自序中光國兄指出：「……（這是）一本研究如何有效組織圖書資訊（為主）和非書資料（為輔）的書。過去和現在許多中外圖書館學專家學者，對如何組織圖書資訊這個問題都有過不少卓見，但純以資訊觀點為中心者，則尚待發掘。」仔細拜讀這部書之後，我對從事我們這一行的朋友說：「光國兄的努力耕耘，『發掘』了自己」。

第二，這部書有極高的可讀性

可讀性是現代寫作的要件之一。余光中在《大書坊》中指出：「朱光潛拿到一本書，往往先翻一兩頁，如果發現文字不好，就不讀下去了。我要買書，也是如此……因為一個人必須想得清楚，才能寫得清楚；反之，文字夾雜不清的人，思想也一定混亂。所以文字不好的書，不讀也罷。」光國兄文學修養極深，文字寫得行雲流水，深入淺出，令人看來不忍釋手。這部書是我親自護送回國的，是道道地地的「限時專送」。好幾磅重的原稿我放在隨身攜帶的手提箱裏，一方面我怕失落，對不住朋友，再則我可以先睹為快，在飛機上的十幾個小時，我把這部書前後翻閱，一氣呵成的拜讀完畢。培根說閱讀的方法有三，有的書輕嘗略試（Tasted）即可，有的可以囫圇吞棗（Swallowed），若干則必須細嚼消化（Chewed and Digested）。我是以欣賞的態度，運用最後一種方法來看這部書的。光國兄的寫作紙上活躍，正好像他講

話一樣風趣，妙語如珠的例子不勝列舉。例如他說：「資訊是所得，而知識則爲累積的資本。」，「分類和編目——它們不僅可以分家，還可以老死不相聞問⋯⋯。」光國兄是圖書資訊學的大牌學人，看過他這本書後，我想如果他不是走的我們這條路，改行做政論家、文藝家，他也會成名的。

第三，這部書始終以做好服務讀者爲重心

圖書館的經營理念是建築在技術服務和讀者服務兩大支柱下的，兩者之間如何取得平衡，是圖書館工作最主要的挑戰。有識之士，深爲這種問題憂慮。我的好朋友范承源教授曾經幾度對我講：「大家拚命提倡技術，不要走火入魔才好。」光國兄的偉大之處，就是他隨時流露出來他對讀者的關切。他說：「圖書館存在的目的，是設法將讀者和他需要的資料，儘快的溝通和連結在一起。因此，圖書館一方面不僅要提供讀者成千上萬的圖書資料，另一方面還要建立一套捷便確實的檢索工具，使讀者笑著進來，笑著出去。」光國兄要讓讀者「笑進笑出」，因爲他知道這是大勢所趨。他又指出：「三十年前圖書館對讀者的需求，有絕對的控制力量。三十年後的今天，那種控制力量反過來掌握在讀者的手裏，⋯⋯時代在變。」讀者各型各色，我在〈未來的圖書館無紙行嗎？〉一文中曾經提出：「無紙論者可能低估了讀者的反應，更沒有考慮使用者的習慣。躺在床上，一卷在手，有時加上一支香煙，我覺得其樂無窮。誰願意把綠色光芒閃爍的終端機放在床頭呢？」光國兄成竹在胸，他的結論是「一本書在手和一片光碟在手，對讀者來說，心情和感受都會不同的。」希望大家都記得

他這句話。

第四，這部書加強了圖書館工作人員的自信心

由於資訊科技的突飛猛進，加之出版品污染，圖書館會不會遭受到無情的淘汰而淪落為祇能收藏過時資訊的舊書博物院？蘭開斯特的話在圖書館界產生了極大的震憾。光國兄的意見為我們的行業注射了一針強心劑。他說：「將來或者有那麼一天，讀者借助高超的電子設備，直接與資訊（知識）溝通，毋需再透過圖書館，甚至出版商等中間人。但是，若從『羣體知識』的觀點上看，圖書館的中介地位仍不可少，因為祇有圖書館才力足供應讀者『羣體知識』———一種以主題為中心的完整知識。」

光國兄寫了一本好書。什麼樣的書才算好書？根據亞柯特（ Amos Bronson Alcott ）的解釋：「當你翻開一本書時心中有所期待，而讀完時感覺到欣喜和若有所得時，就是好書。」這一點，光國兄是做到了的。凡是看過我寫的〈重讀（美國）公共圖書館調查後的省思〉一文的讀者，都知道我有重讀好書的習慣，這部書我當然不會就此罷手。讓一部好書「束之高閣」是違背良知道行為。亞柯特所謂的「有所期待，欣喜和若有所得」看來頗有詩意，但在氣勢上略嫌軟弱了一點，祇能形容一般性的讀物。我覺得像光國兄這樣的作品，就應該用讀後「恍然大悟」和「豁然貫通」的字樣，在價值的層次上比較合適。在基本組織、內容和思想上《圖書資訊組織原理》幾乎是「零缺點」，無懈可擊。其最可貴之處在於能夠啓發讀者的思想，導致進一步討論的可能。以下是幾個例子：

(1) 他說：「有了主題，才會有知識；沒有主題，便沒有知識。」

這句話我聽得進也深以為然。不過我曾經看過一本薄薄的書，書名是《不按牌理出牌》。這本書並不教我們怎樣打麻將，而是一本散文集。我覺得寫得相當有水準，對於知識的增長，不無小補。但我當時就在為分類編目館員耽心：他們怎樣處置這一本書？它的主題是什麼？

(2) 他說：「當我們完畢知識面的討論後，讀者就會更清楚在館藏發展中增建『面』比增添『點』更重要。」

沒有人敢說這句話錯。在館藏規劃中，當然要考慮通盤，力求均衡，一味在「點」上做文章，結果館藏就會有支離破碎的情況出現。但在組織的邏輯上，「點」、「線」、「面」的次序是一定的，如果沒有「點」，那裏會有「面」？

(3) 他說：「……圖書和雜誌不是最具成效的中介物，……而是指「紙」在意思的表達上，不夠逼真和傳神。紙的先天缺欠，使它奏不出悅耳動聽的歌曲，散發不出美麗的光彩。……紙上的兔子，既不能跳又不能跑。總之，在引人入勝、寓教於娛的功用上，白紙黑字完全起不了作用。」

光國兄講的是實情，我們都有同感。不過我也要話圖書出版事業略作辯護，他們正在朝這個方向努力。我在〈二十一世紀的公共圖書館〉一文中就提出：

會唱歌的雜誌

當紅約雜誌的一百多萬名讀者翻開 1987 年 11 月 30 日 一
期時，他們極為驚訝的聽到「聖誕鐘聲」……的輕巧合唱
歌聲，音樂是由隱藏在雜誌中的音樂晶片發出的。

又在聯合報副刊上（民國 79 年 3 月 1 日， 25 版）載有〈可
以玩的書——讓孩子動腦又動手〉一文，其中寫有下列文字：

……皮皮愛玩小白兔，小白兔是美國一本童話書的主角。

每翻一頁，小白兔就從書中跳出來，跟著皮皮一頁一頁
跑。

嚴格的說，會唱歌的雜誌是靠外來的助力——音樂晶片，
可以玩的書是塑膠書，不是紙製的，因此和光國兄的高論沒有衝
突。我祇是指出一個發展的方向而已，說不定有一天會達到光國
兄的願望。

林衡哲在《讀書的情趣》的序中引用約翰生的話說：「你要
瞭解一個人，最好是看他讀的是什麼書。」我套用這句話說：「要
瞭解一個學人，要看他寫的是什麼書。」我是反對述而不作的，
我認為不出版的研究，算不得研究。這本書祇有光國兄才寫得出
來，希望他能多寫幾本書，讓我們一讀、二讀、三讀。

沈寶環　謹序

15. 林著
台灣鄉鎮圖書館空間配置序

我從不輕易為人寫序，因為我不知道如何寫序，如果要我寫序，我寧可寫一篇文章代序，這是出自肺腑的良心話。為了避免寫序，我曾經祭起「寫序約法三章」的法寶作為免戰牌和護身符：

一、知人——我必須對著者有相當程度的認識。

二、知己——我必須對著作的內容有若干了解。

三、知用——我必須對著作的貢獻有幾分把握。

我這「三大法寶」作為免戰牌還真管用，為我省掉不少構思和動筆的麻煩，但也因此得罪了幾位朋友。因此，護身符的功能有限。

林金枝同學的著作「臺灣地區鄉鎮圖書館空間配置」出版了她要我寫序，我的法寶完全失靈，在新生代的青年才俊之中，金枝是百分之百符合我約法三章的人，對於她的請求，除了說"好"，我還能說甚麼！

首先，金枝是我的得意門生。我的學生都是優秀的，我說這話既不過份，更沒有門戶之見和派系之分。國立臺灣大學圖書館學研究所吸收了臺大、師大、淡江、輔仁和世新等學校的精英，素質之高可謂牛奶中的乳酪（ Cream of the milk ），金枝在臥虎藏龍的競賽環境之中脫穎而出，不是偶然的，我對她的智慧、知識、和決心印象深刻。除此之外，在我記憶之中還有下列事實可以佐證我們師生之間情感的深厚和關係的密切。

●金枝是在民國 72 年經大學聯招錄取進入臺大圖書館學
　系，換言之，我們師生的關係已有將近十年的歷史，而
　她是經常在我身旁的學生之一。

●金枝曾經修習過我在臺大系所講授的全部課程，每一門
　課她都以最優異的成績過關。

●我是金枝碩士畢業論文的指導教授。

●我指導臺大研究生群合寫的「鄉鎮圖書館的理論與實務」
　一書，金枝是貢獻最大、出力最多的撰稿人，我曾經指
　派她為執行編輯。

●我曾經參與金枝的婚宴，為了不讓我的學生失望，我婉
　拒另外一項時間衝突的重要約會。

●我曾經擔任臺大研究所導師，因此我儘可能的了解學生
　的生活方式和家庭狀況，金枝在她家中是孝女，婚後是
　賢妻。

●金枝通過公務人員高等考試，目前在母校圖書館工作，
　她作事的認真態度，可以「奉公守法、無怠無忽」八個
　字來形容，她經常晚間自動加班，不領加班費，她這本
　書本來在好幾個月前就應該問世，因為工作太忙，沒有
　時間修正而延誤了下來，她這種公而忘私的精神堪稱現
　代公務人員的楷模。

其次，這部著作是金枝的畢業論文修訂而成，如前所述，我
是這篇論文的指導教授，我想系主任兼所長李德竹教授指定我為
金枝的指導教授是因為我在所裏一直開「文化中心管理」這門課
程，同時我在文建會文化中心輔導小組擔任委員多年，在李所長

看來把這個任務託付與我，應該是「勝任愉快」和「責無旁貸」。我的確以「愉快」的心情接受下來，但是否「勝任」？這是我一直再三考慮的問題。

金枝已經得到碩士學位，而這本論文已經出版成為專書，我為甚麼要提出是否「勝任」的問題，這與我個人的教育哲學有關。我的觀點和教學方法是否正確、合理，希望學者專家不吝指正。

①「生也有涯，知也無涯」，學問是無止境的，「知之為知之」是老師應有的條件，不足為奇，我覺得為人師者，更重要是要有承認「不知為不知」的胸懷和雅量。

②過去師傅教徒弟常常留一手，免得「教出徒弟打師傅」我大不以為然。教出徒弟能夠打過師傅是世界文化能夠進步的主要原因之一。亞里斯多德師事柏拉圖多年，杜蘭（Will Durant）在「西洋哲學史話」中指出「亞里斯多德在柏拉圖的「實在論」中看出一切神秘主義和錯誤理論的根源，他便不遺餘力予以攻擊，正如布魯達雖非不愛凱撒但愛羅馬更甚那樣，亞氏也說「柏拉圖雖然可愛，但真理卻更可愛」（Story of Phiosophy, p.58），我常常在課室中要求學生提出與老師不同的意見，指出老師的錯誤，我認為這就是「青出於藍而勝於藍」。

③我篤信「三人行必有吾師焉」的哲理，老師的學問比學生強是天經地義的事，但這並不是說老師每一件事、所有的知識都超過學生，「後生可畏，焉知來者之不如今

　　也」。我覺得在資訊爆破的時代，以「不恥下問」的心
　　情和學生溝通是教學必要的方法。

④以教學的層次而論，小學以老師的身教和言教為中心，
　　中學以課本為中心，大學以教授的講解為中心指定
　　參考書為輔，研究所教育以研究生自學、自己檢索資訊
　　為中心，教授的職責是「老馬識途」，指出正確的研究
　　方向。

　　上述各點不過是說明我在教學時讓學生有很大自由發展的空
間，金枝的論文寫作完全是靠自己的摸索和努力才能完成，尤其
可貴的是她用新婚蜜月的時間訪視四十五所鄉鎮圖書館，可算是
文壇佳話了。

　　最後，建立文化大國是我國朝野、政府民間共同奮鬥的目標
文化中心的建設以圖書館為主，我覺得文化建設好像一棵大樹，
文化中心是枝葉，鄉鎮圖書館則是果實，鄉鎮圖書館的出現顯現
我國文化建設的美好遠景。基於這個理由，金枝和她的級友共同
寫作了「鄉鎮圖書館的理論和實務」，現在金枝更進一步的將她
的畢業論文修訂後出版成為專書，可謂錦上添花。本書的出版承
蒙行政院文化建設委員會補助費用並要求贈送該會本書三百冊。
顯然的，全國三百所鄉鎮圖書館都將收藏一冊金枝的書以供參考。
老師不一定能做到的事，金枝卻做到了，這不僅是金枝個人努力
的回饋，我這個老師亦與有榮焉。

　　　　　　　　　　　　　　　　　　　沈寶環　序

16. 書府十年祭

「書府出版十年了」。

提供訊息者（ information provider ）是李美侖同學。她以總編輯身份對我說：「爲了紀念這個 special occasion，編輯部門想請老師寫篇類似感想的文字，這一期不打算收集學術性論文」

美侖講的話，我都聽得進。對於她的要求，我答覆是立即的。記得我好像就學了兩個字" Why Not " 區區兩個字代表了千言萬語也表示我千肯萬肯，Why ？

第一、書府是貨眞價實的學生刊物

我說書府是百分之百屬於學生自己的出版品，一點也沒有誇張，自第一期問世以來，完全由學生當家，如何制訂政策，如何決定稿源，校方從不介入， staff 名單上也看不到「顧問教授」❶。

教育哲學大師約翰・杜威（ John Dewey ）指出：「學校即社會」（ School is Society ）「教育即生活」（ Edncation is Life ）❷。換句話說，學校乃是社會的縮影，教育更是經驗的累積，試問 K 書的書蟲怎麼會體會到做事的艱辛？又如何取得有價值的經驗？作爲一個實驗主義學派（ Experinientalism ）的信徒，我認爲有教育意義的課外活動和課堂作業一樣重要，因此在我任教以來一直鼓勵學生加入專業組織，對於能夠表現社團活動領導

才華，或願意從事研究寫作工作的同學更是樂觀其成，他們在摸索之中辦理自己的出版品是絕對符合實驗主義「從做中學」（Learning by doing）❸的教學原理的。

第二、書府是有光輝歷史的學生刊物

「書府出版十年了……」聽到這句話的人所產生的反應，可以分類爲兩種類型。

㈠ 驚喜型

光陰如『白駒過隙』，時間一轉眼就十年了，眼看着書府一期接一期的出版，新浪推舊浪、新人替舊人，記得在第4期你們還訪問了我，書府雖然不是我們這個 Field 的唯一學生辦的刊物，但却是「鶴立雞群」的 Campus magazine，　書府爲我國近代圖書館事業史寫下了新的一頁。

㈡ 贊美型

十年不是一個很短的時間，早年美國哈佛大學學生也曾經主辦過哈佛雜誌（Harvard Magazine），在美國雜誌出版史上小有名氣，執筆者包括如 Frank S. Sanborn，Phillips Brooks 後來頗具聲望的名流，但是這本雜誌祇辦了十年就停刊大吉❹。它的風光可謂曇花一現，我們的書

府辦了十年，一年比一年強，老外趕不上我們。

我的反應屬於那一類型並不重要，大家的眼睛是雪亮的，書府中過頭彩，得到大獎（ hit the jackpot ）是事實。

「臺大究竟是臺大」，「不一樣就是不一樣」。臺大的學生除非不做，要做一定要像一回事，例如ASIS臺北學生分會，這是經臺大圖書館學系所學生的組織，成立不過四年，在去年十月得到總會年會頒發的「 1988 傑出學生分會獎」。這次年會在 Atlanta 舉行，此獎得來並不容易，遠東地區祇有我們一個分會，因此競爭對象為三十幾個美加和歐洲學生分會。我個人欣喜之餘也有極深遺憾，因為我們沒有學生代表參與大會（ 因為得獎單位要到臨時才宣佈，我們得獎呼聲雖高，但是經過評審委員會秘密投案，誰也沒有100％把握 ），由我以顧問身份代表領取。 1989 年年會在華府舉行，我希望能帶領臺北分會學生幹部一二人出席，讓我們學生能有機會與國外學術界人士接觸「亮相」。我講這些好像與本文無關，實際上我正是對書府說的，書府的確在臺灣打開了場面和知名度，這是不夠的，應該將影響力國際化，要把臺大青年在專業上研究的成果輸出，推廣到世界上的許多角落。

第三、書府是有學術價值的學生刊物

在書府的封面很明顯的印出：

學習的！

紀錄的！

研究的！

報導的！

　　十二個大字流露出來書府的宗旨和目標，我非常高興同學們
沒有加上。

　　休閒的！
字樣，因此在書府內容中都是一板一眼，遵守研究方法規定的學
術性論文，讀者不可能看到一句話分兩句寫的新詩和感情充沛到
無處發洩的散文，這就是水準。

　　書府的 title 從何而來，涵義是什麼？我本來都不清楚。最
近，我到系館翻閱過去幾期才知道源出唐代張說的詩，其原義
「大都指藏書及人才薈萃的所在」❺。臺大當然是「人才薈萃的
所在」，我頗為欣賞這個刊名，我認為圖書館學系所的學生和
「書」接近是天經地義之事。班特奈‧塞夫（Bennett Cerf）在
閱讀的情趣一文中，曾有如下說明：

　　　　閱讀好比吃花生，開了頭就停不下來。每一本書，好比是
　　　　一個獨立的院落，都是獨立的，許多書在一起就像大城市
　　　　裏的許多房子，雖然他們都是分離着的，但是綜合起來，
　　　　就又像一回事了。
　　　　……書像家庭中的成員一樣，彼此交互影響着，他們把過
　　　　去、現在和未來都連繫了起來，不管你從那裏讀起，你都
　　　　是把自己繫於某一思想的領域之中，最後，你不但能認清
　　　　其中的人物和天地，也尋回了你自己。❻

　　在「無紙資訊系統」和「電子圖書館」的思想衝擊下，臺大
圖書館學系所的同學們能以不偏不倚的立場，在學府的園地裏盡
力維持尖端科技和印製資訊之間的平衡，是值得大聲喝彩的。

附　　註

❶ ASIS 臺北學生分會設有敎授顧問，乃是遵照總會憲章規定。

❷ John Dowey, The School and Society Chicago: University of Chicago Press, 1923, ch. 3.

❸ John P. Wynne Philosophics of Education New York Prentice-Hall, 1947, pp. 141-165.

❹ Frank Luther Mott A History of American Magazines. Cambridge, Mass. Harvard University Press, V. 2, p. 99.

❺ 周駿富，書府的來源，書府第六期，p. 3。

❻ 培根等著，林衡哲編譯，讀書的情趣，臺北：志文出版社，民國63年，p. 48。

17. 給全國高中同學的
一封公開信

同學們：

「沈寶環信箱」是我要求「高中圖書館館訊」特別設置的一個專欄，今後每一期的館訊我都會發表一封公開信，討論一個主題。由於館訊的特質，我的信件內容多半與圖書館學有關，所謂「圖書館學」乃是一個將知識組織起來以因應使用者資訊需求的科學，可以談的問題很多，因此我並沒有信件範圍受到限制的感覺。

寫到這裏，我想各位同學心中一定會產生若干問題，沈寶環何許人也？他和我們有甚麼關係？爲甚麼要對我們寫信？的確我們並不相識，但是相逢何必相識！館訊是屬於大家的園地，我寫公開信，同學們也可以投書，在這種情況下交換意見，溝通思想，我覺得另有一種特別的情趣，這也是我企圖和各位建立的第一種關係——「交字交」。

我喜歡看好的武俠小說，在你們中間也許有部份同學和我有同好。我最欣賞金庸筆下的老頑童周伯通和大俠郭靖、龍女黃蓉之間的關係。他們的年齡是懸殊的，但是並不影響他們的交誼和眞情。我舉出這個例子是因爲我和你們之間的確有相當寬闊的代溝，你們是正在接受高中教育的青年，我是在大學任教的資深教授，

你我雙方扮演的角色不同，不過這是無傷的，美國教育哲學家杜威說「教育即生活」，生活是甚麼？生活就是經驗。你們在高中讀書，取得知識並不是唯一目的，還要吸收良好的經驗，你們所憑藉的是生命的活力和青春的朝氣。我非常羨慕你們，因爲我所倚仗的只有多年的經驗。但是在這種基礎上，我深信我們可以充份合作，我願意提供我的經驗作爲你們生活的參考，你們對我也有回饋，你們的表現，活動和問題都會引起我的興趣因而充實了我的生活，這就是我盼望和各位建立的第二種關係，你們不妨稱之爲「忘年交」。

我寫這封信的原來目的是希望同學們能夠接受我的建議，多多利用你們學校的圖書館。

最近我到臺大去上課順便去圖書館查點資料，因爲時間太早（上午七時）我在新生南路麥當勞買了一杯咖啡慢慢享受等候系圖書館開門。麥當勞生意很好，幾乎座無虛席，好不容易找到一個空位，和五位高中同學（三位女生、兩位男生）擠坐在一起，由於這一次的遭遇我修正了這封信的主題。

這五位同學都是極爲活潑優秀的青年，他們愉快的笑聲，生動的談話，深深的吸引了我的注意，我忍不住插入了他們的交談，以下是部份的對答：

沈：你們幾位在那所學校上學？幾年級了？」

女同學甲：

「我們都是××高中的學生」用手指了一圈「三個高二，兩個高一」。

男同學乙：

「老伯是做甚麼的？」

沈：「我在臺大教書，圖書館學系。」

女同學甲：伸了伸舌頭，慢慢的搖了一下頭。

沈：「你好像有話要講。」

女同學丙：

「我知道她想講甚麼，想進臺大恐怕進不去。」

男同學丁：

「聯招分數，臺大太高了。」

沈：「天下無難事，只怕有心人，你們不要低估了自己。再說，大學很多，師大、淡江、輔仁、世新、各有千秋，都有特色。如果我是你們，我寧可選系而不選學校，個人的志趣和性向最要緊。」

女同學甲：

（現在我看出來她是五位同學中最外向、活潑的一位，動作和意見都比較多。）

「圖書館系是一個怎樣的系？怎會有這樣的一個系？學生畢業了出路是甚麼？」

男同學丁：

（是個性情中人，有話就講，不講不快。）

搶著回答：「這也不知道？將來管圖書館，像×老師一樣，借書還書。」

沈：「圖書館學系不要忘記一個「學」字，出來做事也不像這位男同學所說那樣簡單，是很有挑戰性的服務，極具意義的工作。如果只是借書還書，誰都能做，何必在大學待四年？」（關

於圖書館學系的簡介，限於篇幅，此時從略，在將來的公開信中再作交待）。

沈：（接著問）

「你們有機會利用圖書館嗎？」

女同學甲：「我借過兩本書。」

沈：「那兩本書？記得書名嗎？」

女同學甲：「傲慢與偏見和娜卡列林娜。」

沈：「那都是翻譯的名著，很好！其他的同學呢？」

男同學乙：「我祇看雜誌讀者文摘和天下之類。」

女同學丙：「我的英文不好，想找一本能夠幫我自修的書，沒有找到。」

男同學丁：「我的教室離圖書館太遠，下課休息的時間去圖書館借書，時間不夠，空跑了一兩次，我不想再跑了。」

沈：（望著女同學戊）「你好像沒有講過話。我想聽聽你的意見。」

女同學戊：（看來是年齡最小的一位。）「我不好意思開口，因為我從來不去圖書館。」

沈：「非常可惜！能告訴我原因嗎？」

女同學戊：「我和丁同學同班，圖書館開放的時候，我們上課，等到下課，圖書館也關門下班了。」

沈：「圖書館人手不足是困難之所在，但開放時間是可能調整的，我覺得你還有別的原因沒有說出來。」

女同學甲：「我來替她講，我們準備功課都來不及那裏有時間跑圖書館？再說圖書館和通過大學聯招這一關又有什麼關係？

我看那兩本翻譯小說還被媽媽罵了一頓，她說我不想進大學，專門看些不相干的書。」

沈：「家長『望子成龍，望女成鳳』這種心情是值得諒解的。你們的校長、老師、圖書館主任甚至我這個站在旁邊的人都希望你們能夠順利進入大學，平安上壘。大學聯招制度正在轉變之中，將來可能以「推荐甄選」「預修甄選」和「改良式聯招」取代聯考，請你們留心這些消息和報導。

高中學生努力讀書是件好事，考進大學機會的確比較多些。以我個人多年教學的經驗，我發現在高中死K課本的高中同學在考進了大學之後，功課雖然跟得上，但是還算不得出類拔萃的大學生。眞正頂尖的大學生除了在高中品學兼優之外，還要有良好閱讀習慣，知道利用圖書館資料以補充課本之不足，要達這個目的，你們能不利用圖書館嗎？」

談到這裏他們五位同學要去學校上課，我要去的系圖書館也開門了，祇好彼此依依不捨地說聲再見。由於這一次接觸也爲我帶來若干省思：

圖書館在高中教育中應該扮演甚麼樣的角色？

高中圖書館應該採取那些措施以吸引學生讀者？

怎樣加強高中同學對圖書館的認識？

省立新竹高中所編輯的「高中圖書館館訊」是一種很有價值的出版品。曾經得到教育部吳清基司長的嘉勉。希望同學們不僅要閱讀這本刊物，而且要利用館刊的園地發表你們的意見。

祝　　學業進步

沈寶環　民國81年1月

18. 美國資訊學會
台北學生分會顧問老師的話

　　新的一期ASIS Taipei Area Student Chapter Bulletin 即將出版了，負責主編的俞依秀同學要我寫一篇簡短的，類似 Message to Student members 的文字，本來我有點 hesitate 最後終於答應了下來。

　　我生平做人做事不喜歡拖泥帶水，與學生相處更是心裏想甚麼，口裏就講甚麼，因應這些「後起之秀」所提出來的問題或需求，我唯一的法寶就是 Instant response，這次我顯得有點遲疑並非沒有理由。

　　一、最近我的確「忙」了一點，四月十五日以前必需交卷的文債至少還有三篇，這個 Excuse 却無法啓齒，因爲我對學生抱怨作業繁重時，常講「越忙越能做事」，言多必失，這是一個例子。

　　二、記得我早已交棒（有馬西屏同學在中央日報上發表的報導爲證），現任臺北學生分會顧問是青年才俊的盧秀菊教授，她是大家推選出來的，同學們 Couldn't Make a better Choice，我非常爲學會慶幸，因爲 The Student ahapter is in good hands，我們也應該讓她放手去做 Free hands，既「顧」且「問」爲了避免「多頭馬車」，我的立場最好是祇「顧」不「問」。

　　既是如此，何以我又會答應下來。

　　首先與學生交往，我說「yes」比「no」的機會多個性如此，不足爲怪。

　　其次，我頗會「察言觀色」，依秀是我的得意門生，從大三到研究所幾年以來，我們師生之間相知頗深。我意味到 She wouldn't accept "no" for an answer。

　　最後，尤其重要的我衷心的鼓勵學生寫作、研究，從事有意義的課外活動，我的教育哲學是反對祇會Ｋ書、應付考試的書蟲。

　　幾個月前，我們學生分會榮獲總會 1988 年傑出學生分會獎，今年同學們以不驕不妄、毋怠毋忽的精神繼續爲發揚資訊科技而奮鬥，這是貨眞價實的臺大精神，作爲人師的我能不寫幾句話嗎？

19. 訪沈寶環老師

　　一個晴朗的星期六下午，我們很難得地邀請到教大家「圖書館學概論」及「西文參考資料」的沈老師來系館和大家談談。

　　沈老師是第一個在美國圖書館內做美國人事情的中國人。沈老師之所以會走上圖書館這條路，主要是受了他父親的影響。沈老師的父親早年留學美國哥倫比亞大學鑽研圖書館學，回國後和（美）韋棣華小姐合作，創立「文華圖書館專科學校」，並且擔任校長之職。沈老師在大學時主修政治學，滿腔抱負，非常活躍年紀輕輕就曾擔任軍事委員會國際問題研究所科長、研究專員，及三民主義青年團全國代表大會代表等職。後來老師到美國丹佛大學攻讀圖書館學碩士，學位拿到後，接著又唸教育研究所，並且到丹佛市公共圖書館從最基層的工作做起。工讀了一些時日，同事們發現老師的專業知識豐富，便強迫他考館員。考取後，因為老師工作認真，職位一天天昇高，做到了一級館員讀者顧問。（老師帶來了一些當時刊載在美國報章雜誌上有關老師工作情形的剪報給大家傳閱）得到教育學博士學位後，正逢我國政府號召留學生回國服務，老師便毅然地率先回來了，雖然，他在這兒是一個親人也沒有（註）。

　　回到臺灣之後，老師先後擔任了中央圖書館兼任編纂閱覽組主任、教育部中國科學資料中心總幹事、臺灣省立臺中圖書館研究員、臺大、輔大、淡江兼任教授，並受聘於東海大學，創建東

海大學圖書館，歷任館長及教授。現則為中央研究院美國文化研
究所研究員、圖書館顧問，也是省立教育學院教授兼語文教育系
主任。老師的著作很多，例如：西文參考書指南、中文標題總目、
三民主義化分類標準、教師兼圖書館員手册等書及圖書館工作自
動化的問題、圖書館事業的當前急務等十多種論文，並有數篇專
題研究。

　　說到老師怎麼會到臺大來授課，我們應感謝師母及侯院長、
藍教授。因為師母在陽明山做事，老師才有北上的念頭；藍教授
寫信給老師，並向侯院長提起老師有北上的意思，於是經侯院長
懇切的邀請；請老師看在「兩三百個優秀學生的份上」前來任教，
我們才得此沐浴春風的機會。但老師因為現在仍任教於教育學院，
只好每週在此兼四小時的課，不拿薪水，等下學期再來。

　　談到我們系上的問題，老師認為我們應參考一下國外圖書館
系所開的課程，來加以充實。但要注意其是否「名實相符」。將
來我們的發展應是朝設立研究所的方向邁進，並要充實師資及設
備。

　　提到造成國內圖書館界人事瓶頸的原因，老師認為有三點：
一、畢業的同學多半想出國深造，不肯留下。二、課程的安排與
實際需要不盡相符。三、公務人員資格考試的限制。

　　有同學問老師有甚麼辦法向社會大眾介紹真正的圖書館？老
師舉了個比方：「飯館的菜好，客人才會自動上門。」同樣道理，
圖書館應先充實自己，讓讀者欣然地接受圖書館的服務，使圖書
館與其生活能打成一片。

　　又問國內的五個圖書館學系、組，是否是各有其發展的方向

呢？老師認爲五個系組，課程標準不同，如世新是屬於專科學校，淡江的系名爲「教育資料」，師大則是附屬於「社會教育系」下的一組，都有其難以發展的問題。臺大是「責無旁貸」，最應負起圖書館學發展的責任的。同學們應該好好努力，除了學校的課程外，應多在課外自修，試着作論文研究，以磨練自身、變化氣質。老師應該只是爲同學們指引一條做學問的方法與途徑，而不是字典，有問必答。因爲許多的東西，都是經由研究而自然得到的結論。

同學問老師，如果要到國外深造，那個圖書館研究所比較難唸？應考慮那些事情？燃起了一根煙，老師笑着說：「只要是獲得承認的，無論什麼學校的圖書館研究所都難唸。他們在大學部裏一般課程唸得比我們多，再者我們還有語言上的困難。不過還是要靠自己，不能依賴老師，自己用功，一定能唸得好。要考慮的大概只是地點、氣候、物價、獎學金等問題。美國的圖書館事業發達，中、小型館居多，且受重視，知識都細密地組織起來了，研究學問找資料時非常便利的。

老師突然想起了一個問題問大家:「你們當初爲什麼會選Library Science？是不是本來第一志願要唸外文，結果「掉」到圖書館系來的？」衆口回答道：「大半都是！」老師說：「唸圖書館系是不錯的，只是唸法的問題。好好的唸，將來一定是有發展的。有些趨勢大家要注意，譬如說「自動化」。自動化不一定是指電腦，你們現在可以不用急着學電腦，因爲以後還會不斷推出新的發明來取代舊有的。……

老師又問：「唸了圖書館學系，有什麼感想沒有？」駱英豐

答道，他對圖書館學很有興趣，將來想出國深造，這樣回來做事似乎較爲吃香、方便。老師以爲因爲人家留過洋，回來就受重視，是個不好的風氣，應該要注重他所學來的東西。「出去看看是很好的……」，老師鼓勵同學們多去外面看看、學習，但不能失去自己的特色及優點。我們的圖書館太不現代化了，只注重表面，不講效率。最後，老師祝福同學們將來都能學有所長，畢了業，要爲圖書館界的中堅，刺激「新陳代謝」，推動起我們的圖書館事業。

　　下午二點五十分，進行了兩個鐘頭的「師生暢談」終於告一個段落。同學在會後仍意猶未盡地和老師約了要到老師家——臺中，去再一次的暢談。燦爛的陽光，照在研究圖前一張張年輕，與興奮的面孔上，似乎象徵着圖書館事業光明的新希望。

　　註：沈老師的小傳，請參閱"Who's who in Library service 1955"。

本文原載書府　第二期

20. 圖書館——永恒的服務

——訪中國圖書館學會理事長沈寶環

　　臺大圖書館系教授，也是中國圖書館學會理事長沈寶環承認，資訊社會來臨，確實有很多人對於圖書館的使命感到懷疑，覺得在資訊時代，電腦多媒體廣泛被使用後，圖書館的功能已不如從前，所以對於圖書館能不能存在，抱持懷疑的態度。

　　曾經有人預測，二十一世紀將是電腦的時代，使用家庭電腦交換資訊，諸如接收訊息、家庭採購都可使用終端機，因此尋找資訊或購物可以不必外出，這種觀念對於圖書館資訊供應的功能看法，完全忽略了圖書館本身乃是一個有生命的有機體，圖書館本身的改變及其適應社會需求所做的現代化變革事實。

圖書館提供自我教育機會

　　沈寶環教授指出，電腦使用普及化的可能性的確很大，但却不一定會實現，當考量社會因素時就可發現，人是社會的動物，一定要有羣體生活，因此，專門靠電腦接收資訊也不是最好的方法。儘管電子圖書館的時代來臨，書還是存在。

　　站在圖書館的地位，沈寶環鼓勵民眾多讀書，因為這是教育的問題，他說，學校所學的東西一到社會就會感到不足，書籍的

資料總是慢一步，所以靠自己進修，不斷的充實，才能使自己不致落伍，並且吸收知識是一輩子的事，圖書館的使命就在於使人們有機會接受終身的自我教育，從這個功能來看，圖書館對人們的服務是永恆的。

在專制時代，圖書館只爲少數特權階級服務，貴族、大臣有專人爲他們提供資訊，其他人接觸的機會就少了很多。但是在民主國家裏，講求全民政治，每個人都要參與社會事務，如果沒有知識，要參與也會力不從心，所以社會上有脫序現象，就是因爲對知識的認知尚有不足的緣故。

政府極重視文化建設

沈寶環教授認爲，我們的國家十年來推行文化工作，不斷地充實圖書館設備，設置地方文化中心，這個政策的方向是完全正確的，將來在文化的普及上一定會有好的效果顯現出來。

另外，中國圖書館協會第二十八屆年會中也特別邀請執政黨文工會祝基瀅主任，針對執政黨的資訊政策做了一番演講，沈寶環說，執政黨和政府對文化推行的方向完全一致，對於國家文化建設，尤其是圖書館方面的再充實，可看出政府對於圖書館事業肯花費心力，對於未來圖書館的發展，也譜出了極爲樂觀的遠景。

以新建的臺北市立圖書館爲例，沈寶環指出，圖書館提供的服務可以從零開始一直到永遠，小孩子入學前、老年人退休後都要吸收知識，小孩子在母親的肚子裏，母親也必須接受有關的教育，才能以最好的方法來培育新生代，因此，一個人從懵懂到老，一直到死的整個一生，都能因圖書館所提供的各種資訊而吸收到

所需要的知識，圖書館與人們的關係至深由此可見一般。

目前國內圖書館從業人員專業化的問題，依照公務員服務辦法，必須經過考試檢核後才得任用，但是在圖書館服務的人員，並非一定是學圖書館的才能在圖書館服務。

事實上，一個完整的圖書館行政單位包含各方面的人才：教育、行政，甚至心理、社會、資訊工程的人才亦在圖書館的範疇之內，唯有各種領域的專門人才一起投入圖書館事業，才能將圖書館的資訊擴充到最完美的境界，提供各行各業人員所需要的專門知識。沈寶環教授強調，圖書館人員需要各行各業的專業投入！

圖書館提供無微不至的需求

由於國內圖書館人員編制普遍不足，義工制度就成為紓解人員缺乏的應變措施，沈寶環認為，文化事業本來就是由全國上下一致推動的事業，因此，要求若干相關人員一起加入的呼籲就成為經常聽到口號。沈寶環教授說，圖書館的義工愈多，社會的關心度也會提高，接觸面提高後，推動圖書館的工作會更順利。

此外，圖書館提供的空間不能與人民生活連接在一起，是在推動圖書館時必須克服的困境，時下許多人要出國旅遊會去旅行社打聽國外的狀況，出國留學的學生也會去問曾經到過國外留學的人，或問家人、朋友，但是却很少人會前往圖書館翻閱資料。

依照國外的習慣，看電影有圖書館的評論，買書之前，會先到圖書館看看書評，買東西時，圖書館可以給你相關的資訊。換言之，國外的圖書館不是象牙塔，它並不孤立，其與民眾的關係很密切。假若國內圖書館的服務也能與人民的需求一致，那就是

圖書館新的功能了。

與國家圖書館比較起來，學校圖書館由於專業人員較少，因此其功能也就比較無法發揮。根據沈寶環教授的觀察，中小學圖書館因爲館員在學校沒有地位，所以一般人不願意去中小學圖書館服務；師大畢業的學生，寧願當老師也不願進圖書館就是明顯的例子，因此提高館員地位，是促使圖書館更進一步的方法。

隨著資訊時代來臨，圖書館發展迄今有幾個特徵，其一是控制整理像洪水般的資訊；其二是在經濟上的利用；第三則是電腦的應用，謂之圖書館自動化。沈寶環指出，電腦進入家庭後，圖書館受了很大的衝擊，但是基於圖書館發展的新方向，可以肯定的是，圖書館不可能完全自給自足，自給自足的時代已經過去了，藉由館與館之間自動化的連線達到館際合作，並達到資源共享是絕對必要的趨勢。

自動化是圖書館必然的趨勢

圖書館自動化是沈寶環教授一再強調的重點，但是他認爲自動化並非亂動，而是有方向、有目標、有步驟的動。如果各往各的方向前進，而沒有一個中心來領導，就可能會使圖書館際的距離愈拉愈遠，將來在資訊的串聯上，必會失敗。

目前教育部中教司、社教司、文建會都積極地在推廣圖書館教育，證明政府對文化建設頗爲重視，這是很好的現象，將來圖書館配合國家政策，作有關科學研究資料的蒐集，例如青少年服用安非他命的問題，提供家長、學校解決之道，這種做法就更能發揮圖書館的功能。

　　與社會產生互動關係，不孤立於社會現象之外，是圖書館的新嘗試，然而這些做法對於圖書館從業人員也算是一種挑戰，如果只是上下班喝茶、看報紙，不但無從彰顯圖書館功能，徒然浪費資源，也辜負了圖書館肩負的使命。

　　　　　　　　　　　　原載中央月刊　民國 80 年 4 月

國立中央圖書館出版品預行編目資料

圖書館事業何去何從／沈寶環著.--初版.--臺北市：臺
灣學生，民82
    面；　公分.
    ISBN 957-15-0535-8 (精裝).--ISBN 957-15
-0536-6 (平裝)

1.圖書館-論文,講詞等

020.7   82004215

圖書館事業何去何從

著 作 者：沈　　　寶　　　環
出 版 者：臺 灣 學 生 書 局
本書局登
記證字號：行政院新聞局局版臺業字第一一〇〇號
發 行 人：丁　　　文　　　治
發 行 所：臺 灣 學 生 書 局
　　　　　臺北市和平東路一段一九八號
　　　　　郵政劃撥帳號00024668
　　　　　電 話：3634156
　　　　　FAX：(0 2) 3 6 3 6 3 3 4
印 刷 所：常 新 印 刷 有 限 公 司
　　　　　地　址：板橋市翠華街8巷13號
　　　　　電　話：9524219・9531688
香港總經銷：藝 文 圖 書 公 司
　　　　　地址：九龍偉業街99號連順大廈五字
　　　　　樓及七字樓　電話：7959595

定價　精裝新台幣二八〇元
　　　平裝新台幣二二〇元

中 華 民 國 八 十 二 年 六 月 初 版

ISBN 957-15-0535-8 (精裝)
ISBN 957-15-0536-6 (平裝)

臺灣學生書局出版

圖書館學與資訊科學叢書

圖書館學類圖書